Jouer au monde

Du même auteur
aux Éditions J'ai lu

SEXE, CUISINE ET (IN)DÉPENDANCE
N° 9656

FRANÇOISE
SIMPÈRE

Jouer au monde

Rester normal, c'est d'abord rester normal
par rapport à soi-même…

Henri LABORIT,
Éloge de la fuite

1

C'est un parc avec de grands arbres noirs qui me font peur. La nuit, leurs branches se dressent vers le ciel comme des bras maigres et durs prêts à me saisir et m'emporter loin, très loin... J'ai sept ans, je cours dans une allée embrumée, je cours à perdre haleine en hurlant : « Maman ! Maman ! » Des larmes coulent sur mon visage et y tracent des sillons salés, la bise me brûle les yeux...

Soudain, un chêne immense barre le passage, un arbre si grand que je n'en vois que le tronc noueux et n'entends que sa voix sévère, la voix de mon père : « Ne me parlez jamais plus de cette créature ! » Je trébuche sur les racines de l'arbre géant et tombe face contre terre. Des feuilles mortes entrent dans ma bouche, c'est à peine si je m'en rends compte, j'en mâchouille les tiges amères en sanglotant, la terre trempée de larmes me barbouille le visage et je m'étonne d'avoir si chaud dans cette boue humide. De loin, comme une musique de film, me parviennent les premières mesures du *Concerto n° 1* de Tchaïkovski...

C'est toujours à ce moment-là, d'ordinaire, que je me réveille. Je me retrouve dans mon lit, allongé sur le dos, les yeux fermés. Un rayon de lumière filtre par le vasistas entrouvert. Peu à peu mon souffle s'apaise. À la densité particulière de l'air, aux particules dorées qui dansent sous mes paupières, je sais que je suis chez moi, dans cette pièce immense où je me sens en sécurité, avec ses murs blancs et sa moquette beige clair très douce. C'est mon ami Fernando, un architecte brésilien ou peut-être colombien qui m'a aidé à l'aménager, il y a quelques années. Ensemble, nous avions cassé les cloisons et transformé un trois-pièces de soixante mètres carrés en ce vaste espace.

Mais aujourd'hui mon rêve est embrouillé, différent. J'en cherche les bribes dans ma mémoire du matin qui déjà les efface. Je me souviens que je n'avais plus peur... Je courais éperdument dans la nuit sans me soucier de l'obscurité ni du grand arbre, je jubilais et riais tout seul sans savoir pourquoi, les tempes battant au rythme de mon cœur. Même éveillé, j'en entends encore les coups, comme si on tambourinait à la porte. Il faut que je raconte ce rêve à Marine, il faut que je la réveille pour qu'elle m'explique...

Sans changer de position, j'allonge le bras et ne rencontre qu'un vide plat, puis quelques plis sur le drap froissé. Je me redresse d'un bond : « Marine ! » Une voix de femme inconnue me fait écho : « Antoine ! » tandis que les coups sur la porte redoublent d'insistance. Je n'ai pas envie de me lever, pas envie d'aller ouvrir. J'attends. La voix devient insistante :

« Antoine ! Ouvre-moi je t'en prie ! Ouvre-moi, mon chéri ! »

Je dois être mort. Ou alors je dors encore.

2

Fin décembre, 7 h 36, gare d'Austerlitz. Le train corail s'apprête à partir pour Poitiers, La Rochelle, Bordeaux... D'un pas rapide, le contrôleur arpente les quais en agitant son drapeau. Il salue un collègue au passage, vérifie la fermeture des portes et déboutonne d'un cran sa ceinture qui le serre depuis quelques mois.

« Il faudrait que je fasse un régime », constate-t-il, dépité, en songeant que ce genre de préoccupation lui donne incontestablement un coup de vieux.

Au mépris de *E pericolo sporgersi*, des voyageurs se penchent à la fenêtre et lancent d'ultimes recommandations aux proches laissés sur le quai. Leurs têtes effleurent le rebord poussiéreux des vitres, leurs voix tentent de dominer le brouhaha. Les haut-parleurs lancent des notes aigrelettes suivies d'une annonce suave : « Sur la voie numéro 4, attention au départ. »

Les lamelles métalliques du tableau d'affichage tournent à une vitesse folle, comme détraquées, avant de s'immobiliser sans grand changement par rapport au tableau précédent. Seule la première ligne a disparu, tandis qu'une autre vient d'apparaître en fin de liste. Le contrôleur songe à l'enveloppe reçue un jour chez lui. Il l'avait ouverte sans arrière-pensée, croyant à un banal courrier publicitaire, puis avait découvert une liste de noms inconnus, sauf le sien, en bas de la page. Cette lettre enjoignait au contrôleur d'envoyer cent francs au premier nom de la liste, puis de recopier le texte de la missive et de l'envoyer à cinq amis de confiance. S'il obéissait, il serait récompensé par l'arrivée chez lui d'une importante somme d'argent et la réalisation de ses vœux les plus chers. S'il coupait la chaîne, il s'exposerait à des malédictions en tout genre. Une femme avait interrompu le jeu et était morte brûlée vive dans l'incendie de son pavillon. Un homme avait perdu son épouse dans un accident de voiture trois jours après avoir jeté ce courrier à la poubelle. Un troisième destinataire, plus malin, avait suivi les instructions à la lettre et trouvé le lendemain un travail bien payé après six mois de chômage sans l'ombre d'un emploi en vue.

Le contrôleur avait haussé les épaules, pas dupe de ces sornettes. Il avait jeté la lettre mais ne pouvait s'empêcher désormais d'éprouver une appréhension chaque fois qu'il descendait sur le ballast pour traverser les voies. Il avait été troublé, surtout, de ne reconnaître aucun ami, pas même une simple connaissance, dans la liste des noms précédant le sien. L'idée que des inconnus pouvaient détenir son adresse et la divulguer à d'autres lui donnait le sentiment d'être aussi nu et vulnérable que s'il franchissait un champ de bataille à découvert.

La sirène retentit, sur la voie 4 s'allume un panneau en lettres rouges : « Accès interdit, attention au départ. » Le contrôleur porte son sifflet à la bouche. Sa rêverie n'a pris que quelques secondes, comme ces cauchemars touffus dont on se réveille en sueur et le ventre crispé avant de réaliser qu'ils se sont déroulés entre la première sonnerie du réveil et l'instant où on a étendu le bras pour appuyer sur le bouton d'arrêt.

Bruit de course derrière lui. Une silhouette rouge et verte le dépasse. Le contrôleur voit la jeune fille hésiter une seconde puis renoncer au bond esquissé, tandis que les portes du wagon se referment avec un bruit tranchant. La jeune fille s'arrête, l'air désolé, et regarde sous les roues se dérouler les voies. Trois cents mètres plus loin, les rails amorcent une large courbe. Elle ne quitte pas le train des yeux, jusqu'à ce que le dernier wagon ait disparu. Puis, d'un geste las, elle saisit son sac de voyage posé à terre et revient à pas mélancoliques vers le hall de la gare.

Le contrôleur a envie de l'arrêter, envie de lui demander dans quelle ville elle se rend pour lui dénicher un train qui la mènerait à destination sans trop de retard et effacer son désarroi. Être son Chevalier Blanc... Il ne sait pourquoi, il se contente de la suivre des yeux. Joli brin de fille emmitouflée dans un duffle-coat rouge, la tête coiffée d'un bonnet jacquard qui lui donne l'air d'une gamine. Il la regarde s'arrêter près d'une cabine téléphonique et extraire de son sac un porte-monnaie minuscule d'où elle extirpe une pièce entre l'index et le majeur.

« Allô, Marc ? C'est Marine... Je sais, soupire-t-elle d'un air excédé, une revenante ! Non, je ne suis pas chez moi.

— ...

— Gare d'Austerlitz, j'ai loupé mon train. »

Au bout du fil, la voix doit s'exclamer, ironiser... Marine hausse les épaules :

« Pas du tout, je ne l'ai pas fait exprès ! À une minute, même pas, trente secondes près, je l'avais. »

La jeune fille s'accoude à la tablette métallique et appuie son front contre la vitre de la cabine. Tout en parlant, elle regarde les gens aller et venir dans un vacarme confus comme une brume sonore, percée à intervalles réguliers par les annonces tombant des haut-parleurs.

« Ce doit être un signe du destin, reprend-elle. D'ailleurs je n'ai plus envie de partir aujourd'hui. »

Un homme en imperméable mastic doublé de lainage pied-de-poule s'arrête devant la cabine, une pièce à la main. De quelques coups secs sur la vitre, il annonce sa présence, tout en tapotant avec insistance sur son cadran de montre pour signifier à Marine qu'il est hyper pressé.

Marc pose une question brève qui fait sourire la jeune fille :

« Ce n'est pas grave, il y a des siècles que nous n'avons pas fêté Noël ensemble, tu connais maman... Je descendrai la voir plus tard. Je vais en profiter pour passer quelques jours de vacances à Paris, tranquillement. J'en rêve depuis que j'y travaille ! Bon, je te quitte, il y a quelqu'un qui attend, le genre pas commode. Je t'embrasse fort, prends soin de toi. »

Marine raccroche, enfile ses gants de laine, remonte sur l'épaule la bandoulière de son sac et sort à grand-peine, coincée entre son bagage et la porte vitrée qui se referme sur elle, et que l'homme en imperméable ne songe même pas à lui tenir. Elle se sent soudain épuisée, envahie d'une torpeur provoquée par le bruit autant que par le froid.

« Excusez-moi, monsieur. »

L'homme ne répond pas. Il se précipite dans la cabine, les yeux exorbités, avec une frénésie de diarrhéique traqué par l'urgence.

Dans son bureau, Marc repose le téléphone sans hâte, heureux que Marine l'ait appelé. Il la connaît « depuis toute petite », comme elle dit. À présent, elle doit avoir vingt-sept ou vingt-huit ans. Il a presque douze ans de plus qu'elle. Deux âges parfaits pour se séduire, sauf quand on a derrière soi vingt ans de complicité et un grand secret partagé. Il ferme les yeux, pose sa tête entre ses mains pour mieux se souvenir.

C'était un jour d'été ou de fin de printemps. Un de ces jours si lumineux qu'on ne supporte plus l'idée de s'enfermer, même pour réviser des examens. Marc préparait un doctorat de droit privé et le CAPA[1], avec l'ambition de reprendre le cabinet d'avocat de son père. Il s'était installé pour travailler dans le jardin familial, devant une table métallique blanche si brûlante qu'il arrivait à peine à s'y appuyer pour écrire. Le grincement du portail, puis un crissement de pas sur le gravier lui avaient fait lever la tête. Une silhouette menue avançait dans l'allée, à contre-jour. Marc avait reconnu Marine. Elle portait une robe à fleurs en coton léger et des sandalettes de corde sur ses pieds nus. La fillette avait marché droit vers lui, s'était arrêtée, l'avait fixé bien en face :

« Je sais que tu aimes maman, je vous ai vus hier au Petit Bar. Ça ne me dérange pas du tout. »

Elle avait aussitôt tourné les talons. Marc l'avait regardée s'éloigner, remarquant combien ses jambes étaient brunies par le soleil, et ses cheveux, à l'inverse, balayés de mèches plus claires qu'en hiver. Elle ressemblait de plus en plus à sa mère. Marine avait alors treize ans, Madeleine trente-sept et toujours une silhouette d'adolescente. L'osmose devenait troublante entre ces deux femmes. Le jeune homme s'était replongé sans conviction dans son manuel de droit pénal. En fin d'après-midi il avait rendez-vous avec Madeleine. Il se demanda s'il allait ou non lui parler de la visite de Marine.

Ces dernières années, Marc avait revu les deux femmes de loin en loin, lors de vacances poitevines, sans que jamais Marine évoquât cet épisode. Il l'avait pratiquement perdue de vue depuis deux ans, depuis qu'elle était venue travailler à Paris, en fait. Comme tout le monde elle était devenue limitée par le temps, indisponible, et lui-même ne trouvait pas une minute pour l'appeler. Il se demanda ce qui avait poussé la jeune fille à lui téléphoner aujourd'hui et se dit qu'il aimerait

1. Certificat d'aptitude à la profession d'avocat.

bien la revoir. Il saisit sur son bureau un feutre noir et nota sur son agenda : « Appeler Marine. » Il ne savait plus penser aux autres sans aide-mémoire.

À la gare, un train vient d'arriver. Marine est abasourdie par la foule agglutinée en tête de quai. Juchés sur la pointe des pieds, écarquillant les yeux pour chercher l'ami ou le parent attendus, les passants semblent vivre une intense aventure. Des bribes de phrases se télescopent. « Vous avez fait bon... » « Quelle mine splendide, on dirait... » « Embrasse mamie, mon chéri. » « Donne ta valise, je suis garé... »

Les voyageurs se laissent saisir, embrasser, décharger de leurs bagages avec des lueurs d'effarement dans les yeux. Trois heures quarante assis sans bouger ont suffi pour les déphaser et les placer hors monde en quelque sorte. D'autres arrivants que personne n'accueille cherchent des pancartes pour se repérer, immédiatement harponnés par les chauffeurs de taxi.

« Banlieue, madame, banlieue ? » « Taxi parisien, à votre service... »

Marine se souvient des hordes de gamins d'Afrique ou d'Asie qui se bousculaient sans ménagement pour quémander une pièce aux touristes. Elle avait cessé de donner le jour où elle avait vu une meute hurlante se battre pour quelques pièces lancées du haut d'un autobus à étages par une Américaine hilare, dont le compagnon filmait la scène.

Elle entre dans le café-brasserie et commande un thé. Au bar, devant leurs tasses déjà vides, deux marins en uniforme mordent dans des tartines beurrées avec des mines de bébés trop vite grandis. Assis face à face à une petite table, un homme et une femme se contemplent, silencieux, main dans la main, absents à tout ce qui n'est pas eux, tandis que deux gamins aux doigts poisseux tentent de dévisser le pied d'un guéridon en pouffant de rire. Marine les fixe sans rien dire. Le plus grand murmure quelque chose au cadet en lançant à la jeune femme un regard hardi, puis les deux enfants s'égaillent hors du bar, faisant s'envoler des pigeons qui se disputent un ticket de métro usagé.

Vie de gare, suspendue entre rêve et réalité. Depuis l'enfance, Marine en aime l'atmosphère. Petite, elle passait parfois des jeudis après-midi entiers dans sa gare de province avec un sentiment d'indicible liberté, sans que jamais personne s'inquiétât de voir cette gamine errer entre le hall et les quais, fascinée par le va-et-vient des passants, le vacarme des motrices et par-dessus le bruit, l'odeur de fer brûlant des vieilles locomotives, qu'elle venait respirer comme une drogue, du haut de la passerelle.

8 h 30. Le percolateur crache un bruyant jet de vapeur. Le serveur monte le son de la radio pour le flash info. Deux chroniqueurs économiques tirent les conséquences du dernier épisode de la guerre du pétrole. À minuit, le prix du super va augmenter de dix centimes à la pompe, les compagnies pétrolières ayant décidé d'anticiper la hausse qui sera probablement annoncée dans les prochains jours après la réunion des pays de l'OPEP. Néanmoins, précise le commentateur, le prix actuel de l'or noir se maintient à un niveau inférieur à celui qui avait été atteint après Suez. En francs constants.

« Rien à foutre de Suez, marmonne le serveur, à l'époque j'avais pas le permis. »

Il passe une éponge lasse sur le comptoir, tourne le bouton du poste et atterrit sur une onde périphérique, au milieu d'une publicité pour meubles dont le buffet, pas campagnard pour deux sous, racole le client comme une péripatéticienne des Grands Boulevards. Marine aspire les dernières gouttes de thé puis laisse quelques pièces sur le comptoir, plus un sourire au serveur.

Sous la verrière, la lumière d'hiver a du mal à percer. Dans le hall plus calme à cette heure, quelques voyageurs attardés achètent des journaux. Les poussières roulent au sol, poussées par le courant d'air. À cette heure, le train corail 411 a atteint sa vitesse de croisière, tissant entre les arbres un sillon enneigé que referme aussitôt le vent d'est en longues éclaboussures de givre.

3

Tous les jours à midi trente, Antoine va déjeuner dans une brasserie, toujours la même, à l'angle d'un boulevard bordé de platanes et d'une rue tranquille. Devant le restaurant, un feu tricolore détraqué depuis des lustres s'attarde au rouge et reste vert à peine quelques secondes. Très vite, la file de voitures s'allonge, les conducteurs klaxonnent avec rage, certains sortent la tête par la portière et hurlent des invectives aux badauds qui les dépassent en riant de leur fureur.

Entre deux coups de feu, le patron de la brasserie vient profiter du spectacle. Il s'amuse, prend à témoin le réparateur de cycles installé quelques mètres plus bas :

« Sont débiles, non ? Y en a pas un qui passerait au rouge !

— Heureusement, chevrote le vieux, déjà qu'en respectant le code ils se plantent... »

Tout en parlant, il démonte à même le trottoir un vélo d'enfant rouillé dont il change les pneus ballon. Les bicyclettes neuves, suspendues à des crochets comme des pièces de viande à l'étal d'un boucher, oscillent imperceptiblement. Le marchand de cycles s'enorgueillit de proposer à la clientèle le vélo le moins cher en série de qualité, et le vélo le plus cher en catégorie « haut de gamme ». C'est un passionné, un artiste de la petite reine. Il s'est offert un engin ultraléger en fibres de carbone dont il a conçu lui-même le dérailleur en sélectionnant les roues dentées et les plateaux adéquats à sa façon de pédaler. Un vélo – les vrais amateurs ne disent jamais bicyclette – fait pour grimper les murs à la verticale. Il ne s'en sert plus guère à son âge, mais jouit cependant d'un prestige de connaisseur irremplaçable dans le métier. Les coureurs en herbe lui demandent conseil et l'écoutent raconter ses exploits d'antan, tout en lorgnant les derniers gadgets capables de transformer en engin professionnel le premier clou venu.

Dans la brasserie-tabac, tandis que René sert les demis au comptoir, la patronne officie côté civette/PMU/Loto. Elle est énorme et flasque, il est maigre et tout sec. Disons qu'ils se complètent... En salle, deux serveurs faméliques et tunisiens se font houspiller par la clientèle. Ils tournoient d'une table à l'autre, les bras disparaissant sous d'invraisemblables pyramides d'assiettes plates, d'assiettes creuses, de plats à moitié vides, de soucoupes à moitié pleines, de verres à pied retournés habilement, puis coincés entre leurs phalanges écartées, et de plats fumants :

« Chaud devant, chaud ! »

Les habitués s'écartent et en profitent pour piquer à leur voisin la table enfin libre que celui-ci convoitait.

C'est une brasserie de quartier sans caractère, tables et chaises en Formica jaune. Antoine y a peint sa première décoration de vitrine il y a deux ans. Le patron voulait une simple énumération en lettres script des délices proposés : *sandwiches variés, assiette anglaise, supplément beurre ou cornichons...* mais Antoine réussit à le convaincre qu'un dessin de hot-dog fumant deux fois plus gros que la normale attirerait davantage une clientèle avide de sensations.

« La fumée s'échappant d'un hot-dog est beaucoup plus évocatrice d'un mets chaud et réconfortant que les mots hot-dog ou sandwiches, même écrits en lettres italiennes ou gothiques. Comme dit le sage : "Le mot chien ne mord pas." »

La phrase réjouit René qui avait de la culture. Il donna son accord pour tout, y compris le devis qu'il éplucha un soir au regard économiseur sans rien trouver à y redire. Antoine s'enhardit jusqu'à peindre sur la vitrine un hot-dog cinq fois plus gros que nature, pour créer un choc visuel. Le nombre de clients augmenta sensiblement dans les semaines qui suivirent et Antoine devint, plus que son fournisseur, l'ami de René. Ce dernier lui offrait volontiers un petit alcool en fin de repas et lui faisait servir, en sus du dessert, le fromage non compris dans le menu à tarif conventionné.

Antoine se spécialisa alors dans les fresques hyperréalistes à la gloire de l'estomac et du corps. Il inventa des calligraphies nouvelles pour annoncer « *Casse-croûte à toute heure* » et rendit séduisantes, quasi sensuelles, des mentions comme « *Madame Irma, sur rendez-vous uniquement* » ou « *Massages thaïlandais et ayurvédiques traditionnels* ».

La dentelle d'une lingerie féminine marqua le début de sa passion pour le trompe-l'œil. Sur la façade d'un meuble à tiroirs dans lequel la mercière entreposait boutons, fermetures à glissière et rouleaux d'extra-fort, Antoine avait peint à titre purement décoratif une culotte de dentelle un peu chiffonnée dont une partie semblait restée dans le tiroir tandis que l'autre en aurait été tirée par mégarde. Alors qu'il se trouvait dans la boutique, une cliente entra. Elle demanda à la mercière des aiguilles à tricoter numéro 3, et tandis que la commerçante fouillait dans ses casiers, la dame laissa errer son regard sur le meuble à tiroirs. Elle sursauta en apercevant la petite culotte chiffonnée, avança de quelques pas et ouvrit le tiroir pour la remettre en place. Elle s'aperçut alors qu'il contenait des plaquettes de boutons de différents diamètres, des boutons-pression, des agrafes et toutes sortes d'autres fournitures, mais de culotte, point. La dame referma le tiroir, fixa la culotte d'un œil rond, rouvrit le tiroir, le referma et comprit enfin. Elle passa néanmoins un doigt inquisiteur sur le bois pour s'assurer qu'il s'agissait bien d'une peinture et non d'une dentelle collée. Antoine, ravi de la scène, fit de cette ébauche une manie.

Son dernier chef-d'œuvre était une vitrine de Noël entièrement en trompe-l'œil, commandée par un traiteur à l'esprit commerçant. Des mets extraordinaires s'y exhibaient avec tant de conviction que les passants croyaient en respirer les fumets et en sentir la saveur sur leurs papilles. Alléchés, ils entraient dans la boutique pour s'apercevoir une fois sur place que tout n'est qu'illusion en ce bas monde. Ils achetaient alors quelques denrées rares et chères pour se consoler de leur déconvenue et justifier leur intrusion dans le magasin. Le traiteur, échappant ainsi à la fatalité de la crise économique dont les journaux faisaient leurs choux gras, assura à Antoine que son idée était « géniale, tout simplement géniale ». Antoine le remercia, recula de quelques pas et trébucha dans l'escalier en trompe-l'œil qu'il avait peint sur le plancher. Il se rattrapa de justesse à la fausse rampe et disparut dans la nuit glacée. Une forme le heurta de plein fouet :

« Oh, pardon ! s'excusa un bonnet de laine à motifs jacquard.

— Je vous en prie, répondit Antoine, il n'y a pas de mal. »

Sous le bonnet, Marine avait les joues lisses et rouges de froid. Elle tenait à la main un panier vide qu'elle contemplait d'un air désolé :

« Mes pommes ! »

Antoine comprit qu'en le cognant elle avait renversé les fruits et se baissa pour l'aider à les ramasser. Il faisait presque nuit mais les lampadaires n'étaient pas encore allumés. Avec la froidure, leurs deux souffles se transformaient en petits ballons de vapeur qu'ils se renvoyaient l'un à l'autre comme des signaux. Les gants de Marine se déplaçaient en taches claires sur le trottoir, au hasard des pommes. On eût dit les bonds de lumière désordonnés que fait une lampe de poche qui cherche son chemin. Lorsqu'ils eurent fini, la jeune fille se redressa. Elle était de taille moyenne, plutôt fluette, avec l'air d'être de passage.

« Merci de votre aide, c'est très gentil. Je vous prie à nouveau de m'excuser. »

Puis elle disparut, absorbée par l'obscurité.

Le soir, allongé sur son drap du dessus – il n'avait pas même pris le temps d'enlever ses chaussures –, Antoine ouvrit solennellement un carnet neuf relié de toile verte. Sur la page de garde il dessina une fleur et sur la suivante écrivit le mot *RENCONTRE* en gros caractères, suivi de deux points, puis nota : *Bonnet jacquard (laine verte, rouge et écrue), pommes rouges et lisses. Joues aussi*. Il relut sa prose, hésita un instant et ajouta d'une main moins assurée : *Très jolie voix. En* ut *mineur, sauf erreur de ma part*.

Il referma son carnet. Il n'avait pas envie de se relever, ni de se brosser les dents et de se laver le visage, toutes ces choses qu'on fait les jours ordinaires. Sans quitter son lit, il retira ses chaussures, déboutonna son pantalon puis en se cambrant légèrement, le fit glisser sous lui. Il passa son pull par-dessus sa tête et ôta ses chaussettes. Il ne lui restait plus qu'à allonger le bras pour éteindre sa lampe de chevet.

Le lendemain était un mercredi. Antoine se rendit à midi et demi dans la brasserie sans caractère. Rachid, le plus jeune des deux serveurs, l'accueillit avec un large sourire et de volubiles excuses :

« Bonjour, monsieur Antoine, je suis désolé mais il n'y a pas une table de libre. C'est la cohue du mercredi, vous comprenez. Y a pas école, alors les mères font les courses avec leurs gosses. Depuis une heure ça n'arrête pas. Ils sont bruyants, bruyants... ils me font la tête comme trois calebasses. Vous allez être obligé d'attendre. À moins que... à moins que... »

Le garçon se hissa sur la pointe des pieds, tendant le cou comme une tortue prête à quitter sa carapace et glapit musicalement :

« Si, si, là, là, vous voyez ? »

Son index vrilla l'air en désignant le fond de la salle :

« La table d'angle... Il n'y a qu'une jeune dame sur la banquette. Ça ne vous ennuie pas si je vous mets en face d'elle ?

— Pas du tout !

— Alors allez-y, installez-vous, Je vous apporte le hors-d'œuvre. »

Antoine se faufila à travers un maquis de chaises encombrées de manteaux et de sacs. Il s'assit sans un regard pour sa voisine. Avant même qu'il eût déplié sa serviette, Rachid déposa devant lui une salade de tomates ornée de filets d'anchois.

« Je reviens avec le pain et l'eau, bon appétit », lança le jeune Tunisien rapidement happé par la foule.

Avec l'expérience, Antoine le savait : l'important est d'attaquer le filet d'anchois par surprise, avec fermeté mais sans précipitation. Il y faut une infinie souplesse et beaucoup de self-control. Antoine ne manquait ni de l'une, ni de l'autre et bénéficiait de surcroît d'un entraînement peaufiné depuis des années. Il glissa donc sa main sur la nappe de papier, paume bien à plat pour ne pas faire d'ombre suspecte, saisit sa fourchette en un geste coulé et pour tout dire imperceptible et la souleva à peine, juste ce qu'il fallait pour la déplacer sans accrocher le papier avec les dents. Son visage restait immobile, seul son regard extraordinairement concentré suivait le trajet de la main. Suspense insoutenable, implacable loi de la jungle... Antoine contourna l'assiette, prêt à donner l'estocade, mais laissa son geste en suspens. Un petit œil brillant le narguait. Perdu ! Il s'apprêtait à réitérer la lente manœuvre, les règles du jeu lui accordant deux tentatives, quand une fourchette fulgurante vint épingler le filet d'anchois comme un papillon sur une plaque de liège.

« Ouf ! Il n'a pas eu le temps de réaliser ! » s'exclama une jolie voix en *ut* mineur.

Antoine osa lever les yeux sur sa voisine de table. Il lui sourit pour la remercier d'entrer dans son jeu sans faire d'histoires et lui proposa une rondelle de tomate. Elle déclina l'offre d'un gracieux mouvement de tête :

« Non merci, mais la moitié du filet d'anchois, je veux bien. »

Antoine procéda solennellement au partage et présenta à la jeune fille le morceau d'anchois sur le dessus de sa fourchette. Elle avança les lèvres en une moue délicieuse, aspira la bête et la savoura avec des mines de taste-vin devant un grand cru.

« Quand j'étais petite, sourit-elle, j'adorais manger des vers de terre.

— Tiens, c'est drôle, moi aussi.

— J'en étais sûre ! Il faut avoir mangé des vers de terre pour aimer jouer au filet d'anchois.

— J'ai essayé avec des harengs, confia Antoine en plissant un front soucieux, mais c'est moins bien. Voulez-vous un peu de vin ?

— Volontiers. »

Ils trinquèrent en se regardant dans les yeux, puis Marine posa son verre et se pencha vers son panier posé à terre. Elle ramena de son exploration une belle pomme rouge et blanche qu'elle tendit à Antoine :

« Prenez, c'est une de celles que vous m'avez aidé à ramasser hier. »

Antoine accepta le fruit, qu'il fit tourner rêveusement entre ses doigts. Pour la première fois depuis son septième anniversaire, il lui semblait qu'au lieu de se fabriquer des histoires extravagantes en marge du monde réel il vivait son rêve. Autour de lui rien n'avait pourtant changé. Dans une odeur de frites à faire grossir une anorexique, les serveurs continuaient à courir et à transpirer, les consommateurs dévoraient le plat du jour, une file de parieurs venaient remplir leur grille de Loto ou gratter un quelconque ticket, histoire de s'offrir un éphémère espoir. Double espoir en ce mitan des années 1980. Avec la chance au tirage puis celle au grattage, la gauche au pouvoir donnait au peuple deux raisons de survivre.

À une table voisine, deux femmes front contre front se chuchotaient leur dernière aventure amoureuse. Plus loin, un convive esseulé à vocation d'obèse attaquait sa choucroute avec une fascinante énergie. Antoine détourna les yeux des lèvres molles aspirant les filaments blonds et gras :

« Saviez-vous que je serais ici ce midi ? demanda-t-il à la jeune fille.

— Non, comment aurais-je pu le savoir ?

— Moi non plus », soupira-t-il, soulagé.

Un rire léger s'échappa en voletant de ses yeux et vint se poser sur les cils de Marine, qu'il chatouilla un peu. Elle sourit à son tour. Rachid s'approcha, les bras chargés d'assiettes :

« Ah, je vois que vous avez fait connaissance !

— Pas du tout, répliqua la jolie voix, il nous faudrait des années pour cela.

— Afin d'accélérer les choses, proposa le Tunisien qui avait des lettres et de la ressource, permettez-moi de vous offrir un cognac de la réserve spéciale du patron. Dix-huit ans d'âge, cela vous fera gagner du temps ! »

C'est ainsi que Marine atterrit dans la vie d'Antoine.

4

Au comptoir, tout en essuyant les verres, Rachid regarde Antoine touiller interminablement son deuxième café, le regard ailleurs, les lèvres agitées d'un silencieux monologue.

« Je lui dirais : "Je vais te raconter mon immeuble", et elle comprendrait toutes les histoires qui encombrent mon crâne. Je lui décrirais les vagues argentées des toits d'ardoise qu'on aperçoit par le vasistas du sixième étage. De là-haut, Paris semble à marée basse, une plage du Nord toute grise, mais dès le cinquième étage les paysages s'animent. Je lui raconterais la pierre meulière des pavillons 1930, le béton monotone des immeubles seventies, les carreaux de faïence des façades Art déco...

» Tu vois, lui dirais-je, si tu écarquilles bien les yeux devant ces carreaux blancs, tu as l'impression de t'égarer dans une gigantesque salle de bains. Ça donne le vertige. Comme les murs en miroirs du front de Seine qui transforment la ville en reflets éclatés de kaléidoscope. »

Dix minutes plus tôt, la jeune fille avait avalé son café d'un trait, puis était allée payer sa note au patron après un « au revoir » poli à Antoine. Désappointé, Rachid l'avait regardée s'éloigner et tourner au coin de la rue. À quoi donc avait servi son cognac ? Si ça avait été lui, parole, il n'aurait pas laissé échapper une occasion pareille. Mais ça n'était jamais lui et rarement les autres, la vie ne semblait faite que de rencontres ratées entre gens incapables de se reconnaître.

« Je lui raconterais le couple du second étage, un conducteur de travaux moustachu et sa femme ronde et revêche. Les deux mots ne vont pas ensemble, et pourtant tout l'immeuble profite de leurs disputes, cris et fracas de vaisselle brisée, comme dans un téléfilm.

» Intérieur jour, cuisine : *La femme s'assoit, le souffle court après la bagarre, l'homme s'accoude à la table de la cuisine pour se rouler une cigarette avec une application tendue. Entre les deux, un attachement terrible à les faire mourir ensemble d'un double jet de lames à cran d'arrêt, un soir d'automne. La femme s'écroule pesamment tandis que son chignon auburn se déroule dans une flaque rouge et visqueuse. L'homme, les mains contre son ventre, tente de retenir l'échappée des viscères pour ne surtout pas mourir avant sa vieille. Comme dans un brouillard, on entend les notes lointaines du* Concerto n° 1 *de Tchaïkovski.*

» Elle ferait la grimace, je corrigerais précipitamment le tir : "Tu n'aimes pas mon scénario ? Moi non plus ! Je ne sais pas d'où me viennent ces idées moches et mauvaises. Pardonne-moi."

» Elle acquiescerait, sourirait, et pour la rassurer tout à fait je lui parlerais du professeur d'anglais à la retraite qui vit au premier étage avec une jeune femme, sans doute sa fille. Chaque matin, elle ouvre sa porte au moment précis où j'arrive au second étage. Je me demande si elle aura une queue-de-cheval ou les cheveux lâchés, si elle portera son ciré blanc avec bottes assorties, ou son manteau de laine noire qui lui donne l'air d'une pensionnaire. Je parie sur sa tenue, et me précipite pour la voir sortir. Si vite qu'elle se retourne parfois, effrayée, en m'entendant dévaler les marches à toute vitesse, comme un éléphant coursé par une souris.

» Elle éclaterait de rire et j'adorerais cela. »

Rachid observe Antoine. Il ne comprend pas que ce client beau gosse et toujours bien habillé n'ait pas plu à la jeune fille. Antoine a l'air absent et terriblement seul tandis que son café sans sucre refroidit dans la tasse depuis dix minutes. Lorsque Rachid le lui a apporté, il a remarqué que le jeune homme serrait dans sa main le bonnet de laine de la jeune fille.

5

La pièce où vit Antoine, au sixième étage, tient du studio informel et de l'atelier d'artiste, avec une charpente en poutres apparentes mises à nu lorsque ce devint la mode. De cette restauration subsistent des vestiges de moulures et des fenêtres disparates. Peu de meubles dans la pièce : un chevalet en bois clair, un amas de coussins dodus et une table basse en bambou et verre fumé sur laquelle Antoine a peint des poissons exotiques si réalistes que Marine se demande un instant s'il n'a pas inclus des poissons réels dans la pâte de verre.

Entre le coin à dormir et celui où il travaille, seuls l'épaisseur et le grain de la moquette déterminent une frontière. Antoine aime s'y promener pieds nus, les yeux fermés et sentir sous la plante de ses pieds qu'il change d'univers. Au début, il avait un peu de mal à percevoir la différence, mais au fil des années il a affiné sa sensibilité et sait à présent identifier n'importe quelle étoffe du bout de l'orteil. Il parvient même à en deviner la couleur les yeux fermés, comme si des vibrations différentes émanaient des teintes pourtant voisines qu'il affectionne : écru, blanc cassé, ivoire.

Le coin sommeil tranche avec cette clarté. C'est une estrade rectangulaire tapissée de velours bleu outremer dont les dimensions respectent les rapports de longueur, largeur et hauteur du nombre d'or. Antoine prétend qu'il en dort mieux et attribue à ces proportions mythiques des effets magiques, comme les rêves phosphorescents qu'il lui arrive de faire, ou le ralentissement progressif de son cœur dès qu'il se couche et guette en vain l'arrêt cardiaque.

Tandis que Marine découvre son univers, Antoine s'allonge sur l'estrade. Il sort de sa poche son carnet et note sur la seconde page : *Marine, yeux du même bleu.* Il réfléchit, suçote son stylo et inscrit juste en dessous : *Lui offrir un coucher de soleil.* Debout au centre de la pièce, elle le regarde écrire. Le silence se prolonge si longtemps qu'elle se demande s'il n'a pas oublié sa présence.

« Où puis-je mettre mon sac ? »

Sa voix lui semble étrangère comme si elle passait une audition pour un rôle et s'apercevait, horrifiée, qu'elle joue faux et mal. Antoine lève les yeux de son carnet, fait un geste vague qui pourrait désigner n'importe quel endroit de la pièce :

« Là, si vous voulez. »

Elle note l'extrême douceur de sa voix et son timbre presque linéaire. Comme s'il effleurait les mots.

« Chaque fois qu'il parlera, se dit-elle sans prendre garde au futur, je me demanderai ce qu'il veut vraiment dire. »

Elle pose son sac près de la table basse, se laisse choir sur un gros coussin grège et retire ses chaussures. Ses pieds nus fouillent l'épaisseur de la moquette, puis les orteils y trouvent leur chemin et s'y recroquevillent avec volupté. Marine ferme les yeux et s'allonge, moitié sur le coussin, moitié sur le sol. Les bruits de la rue lui parviennent très assourdis, preuve nécessaire qu'elle n'a pas changé de planète, un peu comme on se rassure en pays étranger de trouver dans un kiosque des magazines en français. Des pensées nues traversent son crâne sans s'y attarder, balayant sur leur passage les scories de fatigue.

Six heures plus tôt, elle marchait d'un pas vif dans Paris, autant par habitude qu'à cause du froid. Le genre de fille qu'il vaut mieux prendre en photo qu'en filature. Dans sa tête tournaient mille projets pour les jours à venir. Des projets d'expositions, de lèche-vitrines et de flâneries, comme un désir de vacances romaines, sans Rome ni scooter ou chevalier servant[1]. Elle jubilait *a posteriori* d'avoir raté son train et de s'ouvrir un espace de liberté qu'elle aurait été incapable de s'offrir spontanément.

Ce n'est qu'au bout d'une demi-heure qu'elle réalisa qu'elle avait oublié son bonnet sur la table du restaurant. Elle hésitait à y retourner, persuadée qu'après ce laps de temps elle ne retrouverait plus son bien, quand elle l'aperçut à trois mètres au-dessus du sol, sur la tête d'Antoine.

« Qu'est-ce que vous faites là ? s'écria-t-elle.

— Je repeins cette enseigne. C'est joli, non, ce cordonnier en sabots ? Un peu anachronique, mais j'adore !

— Mais c'est mon bonnet que vous portez !

— Cela n'empêche aucunement le cordonnier d'être joli... Oui, c'est votre bonnet. Une minute de patience, je termine la première couche et je descends. »

Il était descendu de son échelle comme d'un rayon de lune et lui avait rendu son bonnet en souriant.

« En deux jours, se rencontrer trois fois en trois endroits différents, c'est assez exceptionnel. »

Le froid lui réussissait, à moins que ce ne fût la lumière extérieure, plus belle que celle de la brasserie. Sous le ciel d'hiver, Antoine avait une peau étonnamment mate, un visage étroit aux pommettes hautes –

1. Allusion au film *Vacances romaines* de William Wyler (1953), avec Audrey Hepburn et Gregory Peck.

ascendance slave ? – et un regard noir parcouru d'ondes vivantes qui touchèrent Marine en plein corps sans qu'elle perçoive la raison de sa bonne humeur soudaine. Elle se contenta d'une réponse banale :

« Effectivement, curieuse série de coïncidences.

— À mon avis, sourit-il, ce n'est pas fini. Je me demande si on n'éviterait pas de la fatigue inutile en restant ensemble. »

Elle apprécia la remarque. Un personnage aussi séduisant en trente secondes devait se révéler totalement irrésistible en quelques heures. Il saurait imaginer pour elle les instants poétiques et les jeux absurdes dont elle raffolait, que ses amis de jeunesse délaissaient pour des divertissements cruels de sauriens des villes ou un ennui plus ou moins distingué. Sur cette planète où les uns et les autres rentraient dans des petites boîtes toutes pareilles après avoir tant rêvé d'être uniques et de réinventer le monde, son refus obstiné de les suivre dans leurs renoncements commençait à la rendre très seule. Elle ne voulait pas se ranger et en payait le prix fort.

Et puis trêve de justifications, Antoine lui plaisait. Leurs rencontres successives, pour fortuites qu'elles fussent, prenaient des allures de troublants rendez-vous. Tous deux convinrent de se retrouver dans un petit bistro en début de soirée. Marine tua le temps en visitant une exposition. À l'heure dite Antoine la rejoignit et l'emmena directement chez lui en oubliant le dîner, mais peu importait à Marine.

« Fermez les yeux !

— Pourquoi ?

— Fermez les yeux, vous dis-je, et ne les ouvrez que lorsque je vous le demanderai. »

Antoine va et vient, ses pas se fondent dans la douceur du sol sans y laisser la moindre empreinte. C'est à peine si une densité légèrement différente de l'air avertit Marine de ses déplacements. Elle l'entend ouvrir un placard, perçoit le glissement d'un objet sur du bois, puis un bruit encore plus ténu, comme la caresse d'une plume d'oie sur un parchemin ou le mol atterrissage d'une tête de lecture sur un vieux vinyle.

« Ouvrez les yeux, regardez le plafond. »

Des nuages en troupeaux y courent au rythme d'une musique pour piano et orchestre. Marine reconnaît le *Concerto n° 1* de Tchaïkovski qu'elle a toujours trouvé un peu grandiloquent, voire « pompier », mais qui ce soir s'harmonise parfaitement à sa sensation de partager la douce fantaisie d'un bel inconnu. Le ciel s'assombrit, la jeune fille frissonne. Un vent plus frais pousse les notes d'un bout à l'autre de la pièce. Certaines s'emballent, télescopant les plus lambines dans un accord somptueux avant de s'écraser au mur.

« Cela ne vous épuise pas de toujours vivre en trompe-l'œil ?

— Pas du tout. Il ne vous arrive jamais de vous inventer des histoires et de vous arranger pour qu'elles se réalisent ? Ou de jouer à double-je, être vous et une autre ?

— Si, bien sûr, mais pas en permanence. Quand je côtoie des gens raisonnables, j'ai l'air raisonnable.

— Alors vous ne vivez pas en trompe-l'œil mais en caméléon.

— Peut-être. Quoiqu'un caméléon ne puisse être réellement un caméléon qu'auprès d'un autre caméléon, ce qui ne m'est jamais arrivé.

— En fait, avoue Antoine, je fais aussi des choses réelles. Par exemple, j'écris dans mon carnet avec de l'encre véritable. J'ai essayé avec une encre magique, un produit qui s'efface deux heures après mais ce n'est pas satisfaisant. Au bout du compte je préférerais l'inverse : une encre impossible à effacer, comme les bougies d'anniversaire qui se rallument toujours quand on souffle dessus. »

À l'évocation des bougies d'anniversaire, Antoine se rembrunit. Ses yeux brillent comme s'il se retenait de pleurer. Ce trouble ne dure qu'une ou deux secondes puis il se dresse d'un bond :

« Je crois qu'il y a un lit pliant dans ce placard. Oui, le voici, tout en haut. »

Il descend non sans peine un carton plat dans lequel brinquebalent des tubes métalliques.

« Pouvez-vous m'aider à le monter ? Ces objets maléfiques me terrifient. Préférez-vous dormir près de la fenêtre ou du mur ?

— Près de la fenêtre. Je ne vous garantis rien pour le lit pliant. Je ne connais pas d'objet plus démoniaque, à part les tables à repasser.

— Les cintres aussi sont pervers, mais pas de panique, nous allons avoir ce lit par surprise, comme l'anchois, énonce Antoine avec une assurance de stratège. Lisez les instructions à voix basse pour qu'il n'entende rien, je sortirai les pièces au fur et à mesure et les alignerai dans l'ordre d'assemblage. Il ne devrait pas avoir le temps de mettre au point une riposte. »

Marine jubile. Depuis des siècles elle n'a pas ressenti une telle légèreté, une telle insouciance enfantine. Ce garçon se révèle plein de ressources... Tous deux s'activent avec entrain. Antoine a des doigts fins, habiles comme nul autre pour dompter les tiges métalliques les plus rebelles. Il s'affirme comme un maître tactile.

À l'instant où ils s'apprêtent à célébrer le triomphe de l'humain sur l'objet maléfique, le lit, d'un brusque coup de reins, se replie au milieu, haut et bas rabattus sèchement avec un bruit d'élastique surmené. Marine tente de juguler le désastre en écartelant l'engin et en s'asseyant à une extrémité pour l'empêcher de fuir, mais celui-ci en profite pour se dresser à la verticale derrière elle. Surprise, elle tombe assise par terre en hoquetant de rire, tandis qu'Antoine vient à sa rescousse. Il leur faut encore vaincre le système de blocage des montants, sans lequel le lit s'affaisse inexorablement, puis trouver le moyen de maintenir le haut en position inclinée, faute de quoi Marine serait contrainte de dormir la tête plus basse que les pieds, par on ne sait quelle divagation asymétrique du constructeur. La notice est une traduction en anglais approximatif d'un texte technique en coréen, accompagnée de schémas sibyllins qui ne semblent même pas correspondre au modèle. Marine réalise qu'Antoine ne s'est jamais servi de ce lit et se demande pourquoi et pour qui il l'a acheté. La couverture de laine mohair qu'il lui propose ensuite est tout aussi neuve, ainsi que le minuscule oreiller qu'il déniche dans une valise.

« Pourquoi si petit ?

— Il y a largement la place pour une tête. »

Il lui trouve encore une lampe de chevet et un réveil.

« Avant qu'on dorme, je vais vous offrir un coucher de soleil. Allongez-vous et fermez les yeux. Comme tout à l'heure. »

À son invitation, elle ouvre les yeux. Les troupeaux de nuages ont disparu, remplacés par un ciel d'un bleu tropical parcouru de lumières violentes et chaudes. Le soleil apparaît à l'angle supérieur de la pièce et parcourt le plafond sans se presser. Marine a le temps d'en sentir les rayons sur son visage et de vérifier, en y portant les paumes, que ses joues semblent effectivement plus chaudes. L'astre se colore, devient un énorme disque rouge et inonde les quatre murs d'une lumière flamboyante avant de disparaître au fond de la pièce comme au fond de la mer. Ne restent de son passage que les adieux roses du crépuscule et cette exquise mélancolie que ressentent les voyageurs face au soleil couchant, même s'ils en dénigrent l'aspect « carte postale ».

« C'est superbe... Encore ! balbutie Marine.

— Pas question ! Le soleil ne se couche qu'une fois par jour. Bonne nuit. »

Sans lui demander son avis, Antoine éteint la lumière. Dans l'obscurité à laquelle ses yeux gavés de lumière ne parviennent pas à s'accoutumer, Marine l'entend aller et venir, comme s'il avait mille choses invisibles à faire. Un bruissement de vêtements l'avertit qu'il est en train de se déshabiller. À son tour, avec mille précautions pour ne pas faire basculer le lit, Marine retire sa jupe et son pull qu'elle dépose à tâtons sur la moquette. Elle ne garde que son slip et se glisse sous la couverture tout de suite tiède. À deux pas d'elle, Antoine a une respiration extraordinairement régulière, comme s'il était déjà endormi. Elle l'écoute avec l'impression de commettre une effraction. Elle l'imagine allongé sur le dos, très droit, le drap remonté jusqu'au cou, les bras le long du corps par-dessus la couverture comme les jésuites apprenaient à leurs élèves qu'il fallait se tenir « pour être digne, mon enfant, s'il plaisait à Dieu de vous rappeler à lui au cours de votre sommeil », en réalité pour éviter toute évasion du désir. À moins que, pur rebelle, Antoine ne laisse au contraire errer ses mains sur son ventre.

Marine s'en veut de ces pensées indiscrètes. Elle en veut à ce type de ne ressembler à aucun autre. Plus prosaïquement, elle se demande ce qu'elle fait dans cet appartement inconnu, toute seule sur un lit de fortune instable que le moindre mouvement peut faire basculer.

Par le vasistas, elle aperçoit un bout de ciel ardoise, un de ces cieux d'orage qui la faisaient autrefois se recroqueviller sous les draps avec une appréhension – la foudre n'allait-elle pas lui tomber sur la tête ? – mêlée du plaisir d'entendre les gouttes énormes marteler les tuiles tandis qu'elle-même restait pelotonnée bien au chaud. Mais il n'y a ce soir aucun nuage, juste une immobilité de l'air et un silence qui rendent l'atmosphère oppressante et l'empêchent de dormir. Elle repousse la couverture avec les pieds et s'applique à respirer aussi lentement et régulièrement qu'Antoine pour attirer son sommeil.

Dans ses lectures enfantines, les marins et les explorateurs redoutaient ces temps lourds comme le diable qui annonçaient les plus redoutables catastrophes, les cyclones les plus dévastateurs. Alors, les arbres courbaient l'échine, se redressaient puis se rompaient brutalement, brisés par un vent trop rude à leur écorce. On racontait que ce vent pouvait par sa seule force ficher un fétu de paille dans un tronc d'arbre ou pénétrer dans une maison pour la vider entièrement de ses meubles. Certains prétendaient même qu'on pouvait retrouver les meubles installés dans une autre maison, à des kilomètres de là. Cela, Marine ne l'avait jamais cru. Mais elle ne pouvait nier les voitures emportées par les flots, les hommes foudroyés par une boule de feu plus puissante qu'un million d'étoiles et le vacarme de l'ouragan dans les conduits de cheminée.

Elle frissonne à cette évocation et ramène la couverture sur elle, tout en se répétant qu'un tel séisme n'a aucun risque d'arriver au sixième étage d'un immeuble occidental. Dieu, dans son infini réalisme, envoie les séismes frapper de préférence les pays pauvres et épargne autant que faire se peut les nations nanties, qui y perdraient bien davantage que la vie et souffriraient d'autant plus qu'elles n'en ont pas l'habitude. Marine sourit dans le noir, puis s'essuie le front. Elle se sent oppressée, elle a besoin d'air. La fenêtre est à deux mètres d'elle, elle la rejoint dans l'obscurité en se guidant le long du mur, puis tire de toutes ses forces sur la poignée qui sert à baisser la vitre, sans arriver à débloquer le mécanisme.

Une main se pose sur la sienne et appuie. La vitre descend de quelques centimètres, un souffle d'air glacé s'engouffre dans la pièce. Marine se retient de crier. Les mains d'Antoine glissent très lentement de ses épaules vers ses seins. La jeune fille se sent plaquée contre une peau douce et lisse, exactement telle qu'elle l'imaginait, et ce contact fait naître en elle un frisson total. Elle attend, mais les mains d'Antoine demeurent immobiles, comme insensibles aux battements du cœur de Marine, si violents qu'elle les entend dans le noir. Après quelques secondes il desserre son étreinte. D'un geste il la guide vers le lit pliant et l'aide à s'y allonger, puis remonte la couverture sur elle d'un geste ferme. Elle se libère de ce carcan, tente de lui saisir les mains, d'agripper son cou, mais il se dégage sans peine et s'éloigne dans l'obscurité.

Le silence absolu de la scène laisse à Marine un trouble aigu. Si fugace qu'ait été leur étreinte, elle laisse sur elle l'empreinte de la peau d'Antoine et l'envie presque douloureuse de la respirer, plus forte qu'un simple désir. Cet homme a quelque chose d'indélébile.

Avec une légèreté de libellule, elle descend sa culotte le long de ses jambes et la cache sous le lit, puis elle se love en chien de fusil, les mains entre les cuisses. Lentement elle les remonte, effleure son corps du bout des doigts, le redessine inlassablement et finit par sombrer dans un sommeil sans rêves.

6

Une tache de soleil se balade au plafond, sautille en désordre au gré de la brise qui agite la cime des arbres et laisse par instants jouer les rais de lumière. Elle traverse la pièce, se posc sur la joue de Marine et lui fait froncer le nez. Elle éternue.

« À vos souhaits. »

Antoine est assis devant son chevalet, sur un tabouret de pianiste en bois clair. Sa combinaison de peintre en grosse toile blanche parsemée de taches de couleur lui donne l'air de sortir d'un spot de publicité Valentine. Les pieds bien à plat sur le sol, il fait face à une plaque de verre :

« Qu'est-ce que c'est ? »

Il répond, tout en mélangeant ses couleurs dans un godet de porcelaine :

« C'est une demi-vitre. »

Marine a déjà noté la veille la prodigieuse propension d'Antoine à dire sans rien dire. « Que faites-vous ? » « Je mange du pain », quand elle-même voulait savoir quel était son métier. Il est à l'opposé de ces bavards capables de disserter deux heures sur le devenir du monde quand on leur demande simplement : « Où allons-nous ? »

Elle s'impatiente :

« Je vois bien que c'est une vitre ! Mais à quoi sert-elle ?

— À rien. C'est pour un bar. D'un côté du bar il y aura un miroir et de l'autre cette demi-vitre sur laquelle je vais peindre des bouteilles. Ainsi le dessin se reflétera dans le miroir et donnera l'impression d'un bar immensément garni alors même qu'il pourra être vide.

— Ça peut fonctionner une fois, mais dès la seconde fois les clients sauront que ce n'est qu'une illusion.

— Quelle importance ? Les illusions ne sont pas faites pour durer. »

Marine sourit à peine. Elle passe la main sous le lit pour récupérer sa culotte qu'elle enfile en gardant les jambes sous la couverture, puis elle s'assoit pour mettre plus aisément son pull. Elle ose alors s'approcher d'Antoine et le regarde travailler à coups de pinceau précis.

« Pourquoi dessinez-vous les étiquettes à l'envers ?

— Pour qu'elles se reflètent à l'endroit dans le miroir.

— Ça revient au même. Si vous les dessiniez à l'endroit, elles se refléteraient à l'envers. Dans les deux cas, vous verriez les bouteilles d'un côté à l'endroit et de l'autre à l'envers.

— Certes, mais l'habitude est que les objets reflétés dans une glace apparaissent à l'envers. Ici, ils seront à l'endroit, d'où une double illusion. D'abord il n'y a pas de vraies bouteilles. Ensuite, ces fausses bouteilles sembleront plus réelles dans le miroir où elles n'existent pas que sur la vitre où je les aurai peintes. »

Marine contemple Antoine, interloquée :

« Qu'est-ce que vous avez l'esprit tortueux ! Ce doit être épouvantable de vivre avec vous !

— Je ne sais pas, je me suis habitué. Que dites-vous de cette bouteille de vodka ?

— Plus vraie que nature ! »

L'expression toute faite lui semble désespérément insuffisante. D'ordinaire Marine déteste les natures mortes et ne comprend pas que des tableaux représentant des pommes dans un compotier ou des fleurs dans un vase puissent atteindre des prix astronomiques. Mais devant cette vitre peinte d'une incroyable réalité, elle se dit que le talent d'Antoine n'a rien de comparable. Ses peintures donnent envie de vérifier du doigt que l'objet n'est pas là, collé sur la toile, ou que l'animal – comme les poissons de sa table basse – ne sont pas incrustés dans la matière tant ils semblent exister.

« En fait, se dit Marine, il crée des natures vivantes. »

Antoine essore son pinceau sur le rebord de la boîte de peinture, l'essuie soigneusement sur un bout de chiffon, puis après en avoir lissé les poils du bout des doigts, le plonge dans un bocal empli d'eau.

« Je vais m'en resservir tout à l'heure, pas la peine de le mettre à tremper dans le solvant. »

Il referme ses flacons puis protège la vitre avec une bâche méticuleusement drapée. Marine l'observe, heureuse de ses gestes précis. De son enfance poitevine lui reste une prédilection pour les matières brutes et les outils capables de les façonner avec une délicatesse parfois incroyable de la part de lames puissantes et de vigoureuses mâchoires. Elle se souvient des heures qu'elle passait, gamine, à regarder l'ébéniste du bourg polir un meuble ou fignoler une marqueterie, et du bonheur quasi sensuel qu'elle éprouvait dans les odeurs de sciure, de cire et de térébenthine.

« Avez-vous faim ? demande Antoine. Je descends chercher des croissants et du pain frais. »

Restée seule, Marine se demande si elle va l'attendre. À quoi bon rester ? Elle s'accoude à la fenêtre ouverte et se penche pour essayer de suivre la silhouette lointaine d'Antoine, mais elle n'aperçoit qu'un fragment de rue à moitié occulté par les branches d'un platane.

Dehors le ciel est gris plombé, gris foncé le macadam et gris clair le trottoir. Sur la ligne de départ du feu tricolore, trois bolides frémissent depuis que dans les rues transversales le feu est passé à l'orange. Débrayage, première enclenchée d'une main furtive, pied droit en attente frôlant la pédale d'accélérateur... Les trois conducteurs se la jouent impassible, feignant de regarder droit devant eux alors que leurs yeux balaient un angle à 360° dans lequel s'incluent les deux véhicules ennemis. L'un des automobilistes feint de tripoter les boutons de son autoradio, comme s'il se désintéressait du démarrage imminent. Musique de western italien, ta-ta-toon ta-ta-toon... Antoine commence à traverser. Le petit bonhomme vert devient rouge. Les voitures bondissent sans attendre en trois feulements sauvages : première, seconde, troisième... Très vite, les jeux sont faits. Le véhicule de tête manque renverser Antoine, qui l'évite d'un bond, saute sur le trottoir et pénètre dans la boulangerie, le cœur près d'exploser.

La boutique est déserte. Sur des clayettes métalliques, des baguettes tout juste sorties du four crissent doucement. La boulangère apparaît entre les rubans de plastique colorés qui séparent la boutique du logement. Son doux regard noisette glisse sans aspérité sur tout ce qui l'entoure. Placidité extrême érodée de toute agressivité parce qu'il ne sert à rien de s'énerver, et aussi d'une bonne part de son éclat, mais on ne peut pas tout avoir... Sa bouche autrefois tendre a pris de la mollesse et une légère amertume en accent circonflexe, loin du sourire glorieux de ses vingt ans. Elle a repris la boutique à la mort de ses parents et s'occupe de la vente tandis que son mari, épousé pour ses compétences en panification, assure la fabrication, torse nu dès 3 heures du matin devant un four aussi électrique que brûlant. Un passage rapide au four à bois en fin de cuisson et quelques pincées de farine judicieusement parsemées sur la croûte donnent à ses baguettes un parfum d'authenticité facturé au kilo, ce qui permet d'échapper au carcan des prix imposés par la réglementation et de s'en sortir malgré l'augmentation constante du prix des céréales. Toutes ces contingences n'autorisent pas, hélas, la moindre grasse matinée en amoureux. À quarante ans à peine, la boulangère n'a plus aucune idée du plaisir qu'on peut ressentir en petit-déjeunant au lit, tartinant de confiture un croissant chaud dont on picore avec gourmandise les miettes égarées sur le torse d'un viril partenaire. Rivé à son pétrin, le sien s'est empâté... La boulangère ne goûte plus que les croissants du soir, les invendus déjà rassis qu'elle améliore avec une recette de « pain perdu » composée d'œufs, de lait et de sucre qui transforment les croissants en gâteau certes savoureux, mais bourratif. Du coup, elle aussi s'est empâtée.

« Vous désirez, monsieur ?

— Une baguette, deux croissants et deux pains aux raisins », clame fièrement Antoine.

Devant cette commande inhabituelle, il est persuadé que la boulangère va s'étonner, lui demander pour qui, pourquoi... Alors il lui racontera le bonnet jacquard et les anchois, les pommes brillantes et la voix si musicale de Marine.

« Voilà, monsieur, ça vous fait sept francs vingt. »

Dépité, Antoine jette les pièces en vrac sur le comptoir, l'une d'elles roule et tombe sous la caisse, obligeant la boulangère à la récupérer à quatre pattes. Il s'en réjouit et pense qu'il y a tout de même une justice.

Le bruit de clé dans la serrure fait sursauter Marine. Antoine réapparaît, la voix toute fraîche du dehors et des sachets en papier plein les bras.

« Café, thé ou chocolat ?

— Café, s'il vous plaît. Est-ce que je peux prendre une douche ?

— Bien sûr. Je vais vous montrer comment régler l'eau chaude, sinon vous risquez de vous ébouillanter. »

Il referme la porte derrière elle :

« Prenez votre temps, je maintiens le café au chaud. »

Du séjour s'élèvent bientôt les premières notes du *Concerto n° 1* de Tchaïkovski.

« Il faudra que je lui demande s'il connaît d'autres musiques », s'agace Marine, tout en appréciant que les accords vigoureux couvrent les bruits de ses ablutions.

Dans la glace, son reflet a piètre mine. Elle a l'air fatiguée, la peau terne, les yeux cernés par le débordement du maquillage qu'elle n'a pas pensé à retirer avant de se coucher.

« Pas fraîche, la Marine, marmonne-t-elle en roulant comiquement les "r", faudrait voir à ravaler tout ça. »

Elle regarde autour d'elle, comme si l'environnement pouvait fournir une réponse ou un apaisement à ses interrogations. La salle de bains est sans doute la pièce la plus masculine de l'appartement. Antoine utilise une savonnette blanche oblongue, posée sur un support de bakélite noire fixé au mur. Il se rase avec un blaireau et du savon à barbe à l'ancienne. Marine ouvre le bol de bois et en hume le contenu. Elle reconnaît l'odeur d'Antoine, furtivement captée lorsqu'il s'est approché d'elle durant la nuit. En fermant les yeux, elle réussit à retrouver son exacte sensation d'alors, cette fulgurante émotion née au contact de leurs deux peaux.

« Il est drôle, ce type, murmure-t-elle agacée et troublée. Enfin, pas drôle, bizarre. »

En se reprochant son sans-gêne, elle ouvre le flacon d'eau de toilette posé sur la tablette du lavabo. Même fragrance subtile que le savon à barbe et la savonnette. Désormais, Marine se retournera sur chaque homme de la même eau.

Rien de révélateur en somme. Ni les serviettes-éponges bleu roi et bordeaux soigneusement empilées sur une étagère métallique à un mètre et demi du sol, ni le gant de toilette assorti, essoré et suspendu à son crochet, ni même une petite boîte métallique plate dont Marine n'arrive pas à desserrer le couvercle ne lui livreront les secrets de cet homme. Sans doute n'y a-t-il rien à découvrir. Antoine la déroute uniquement parce qu'il ne suit pas le chemin balisé des autres. Marine s'en veut de son désir frustré. Elle se trouve d'une affligeante banalité.

En sortant de la salle de bains, elle s'interroge sur la conduite à tenir, mais Antoine dissipe très vite son embarras en lui racontant avec force mimiques comment le contractuel d'en bas vient de s'étaler de tout son long sur la chaussée.

« Il poussait une voiture pour l'aider à démarrer et d'un seul coup, vouffff ! L'auto est partie, le type a perdu l'équilibre et il s'est retrouvé le nez sur le macadam. »

Marine éclate de rire tout en prenant un deuxième croissant. Elle le déroule lentement, ravie de voir apparaître sous le feuilleté la pâte fraîche et tendre.

« J'aurais dû mettre une fève dedans, s'excuse Antoine. J'y penserai la prochaine fois. »

Elle arrête son geste :

« La prochaine fois ? Mais je m'en vais, je ne vais pas revenir. »

Il la regarde, pose de chaque côté de son bol ses mains aux doigts longs et fins – des mains de pianiste ou d'assassin dirait la mère de Marine – et les réchauffe un long moment sans cesser de fixer Marine.

« Oui, balbutie-t-elle à nouveau, je dois m'en aller.

— Pourquoi ?

— Je ne vais pas rester ici, il n'y a pas de raison.

— Vous faut-il absolument une raison ?

— Oui... enfin non, bredouille-t-elle, prise en flagrant délit de cartésianisme. Mais pourquoi resterais-je ici ?

— Parce que vous êtes venue hier. Vous n'aviez pas davantage de raison. »

Marine baisse la tête et rougit. Comment expliquer sans paraître stupide qu'elle l'a suivi la veille en imaginant une jolie rencontre sans complications, un élan spontané de leurs corps l'un vers l'autre ? Comment justifier son désarroi à se retrouver hors des sentiers battus en compagnie d'un inconnu plus lointain qu'un mutant ? Comment lui avouer qu'elle se sent ce matin inutile, comme un objet qu'il aurait acheté puis oublié sur un coin de table ? Elle se reproche son prosaïsme, son incapacité à entrer dans l'univers d'Antoine et ne souffle mot. Lui, pas pressé, tourne la cuillère dans son bol et déchiquette son croissant à petits coups de dents, d'abord la corne gauche, puis la droite, nullement gêné par le silence qui épaissit entre eux comme une crème anglaise.

Marine s'ébroue et contre-attaque. Pauvrement.

« Pourquoi voulez-vous que je reste ?

— Je n'ai jamais dit cela.

— Mais si.

— Mais non. Je dis juste que vous êtes venue hier et je m'étonne que ce matin vous vouliez absolument partir, comme si les circonstances avaient fondamentalement changé. »

Elle hausse les épaules, mécontente d'elle-même et de son manque de repartie face à des phrases qu'elle soupçonne même d'être sans malice. Ce garçon est d'une logique éprouvante. Il se lève paisiblement, va rincer son bol dans l'évier puis retourne vers son tabouret de peintre et reprend son pinceau dont il examine l'état des poils à la lumière du jour, sans plus prêter attention à Marine. Celle-ci, déçue, hausse à nouveau les épaules, enfile son manteau et son bonnet et saisit son sac d'un geste brusque :

« Je m'en vais. Au revoir.

— Alors prenez la clé sur la cheminée.

— C'est inutile, je m'en vais pour de bon.

— Au cas où “au revoir” voudrait dire “au revoir”. »

Elle tente l'ironie :

« Vous connaissant, j'imagine que cette clé est fausse. »

Il fouille dans la poche de sa combinaison, sourit :
« Bien vu ! Voici la vraie. D'ailleurs c'est sans importance puisque la serrure est fausse. La porte s'ouvre si vous pianotez “Au clair de la lune” sur l'interphone : le 1 correspond au *do*, le 2 au *ré* et ainsi de suite : *do, do, do, ré, mi, ré, do, mi, ré, ré, do.* »

7

Petite Marine, te voilà partie. Je ne sais ni qui tu es ni d'où tu viens. J'aimerais me dire que tu viens d'une autre planète, tombée du ciel pour rejoindre la mienne. Je ne t'ai pas regardée t'éloigner sur l'avenue du haut de mon balcon. D'ailleurs je n'ai pas de balcon, et quand bien même en aurais-je un, j'aurais détesté voir s'estomper peu à peu ta silhouette, minuscule vue du sixième étage. Les départs doivent être nets comme des coups de couteau. Ils font alors très mal mais cicatrisent mieux que la fuite purulente de la vie ou de l'amour hors d'un corps qui fut familier.

Si tu étais restée, ensemble nous aurions pu jouer au monde. Tu connais ce jeu, sûrement, puisque tu jouais aux vers de terre étant petite, et que devenue grande, tu t'adonnes encore à la chasse aux filets d'anchois.

Jouer au monde, souviens-toi : on décide que telle chose va se passer dans la journée et on s'arrange pour qu'elle arrive. Ce peut être n'importe quoi. Offrir des fleurs au président de la République, ce qui implique de déjouer le barrage de ses gardes du corps et de son pool de secrétaires dévouées, embrasser un CRS, inviter un clochard à déjeuner, collectionner un Noir, un Arabe et un Chinois dans la même journée et arriver à boire un verre avec chacun d'eux ou mieux, avec les trois ensemble.

Ce peut être plus simple : se rouler nu dans les feuilles mortes du parc Montsouris, ou décider que la journée sera bleue. S'habiller en bleu, manger des plats bleus – pas facile les plats bleus – s'asperger d'« Heure bleue », et déguster le soir un Blue-gin-ananas dans un bar où bien sûr n'officient que des joueurs de blues.

Jouer au monde, Marine, c'est peut-être fuir la réalité comme on me l'a si souvent répété, comme on a tant voulu me soigner contre cette propension onirique, mais c'est surtout embellir cette réalité pour mieux la supporter, et je préfère mille fois mes rêves à leurs médicaments. Jouer au monde, c'est décider qu'il sera à son image ou ne sera pas, et refuser les images qui ne vous ressemblent pas. Toi, tu refuserais les images violentes, le sang et les larmes, le mépris assassin de certains regards et la pitié tout aussi meurtrière de quelques autres. Tu refuserais les affiches criardes qui blessent la cornée, et les bruits incessants de la ville que les oreilles n'arrivent plus à trier. Tu rejetterais les signes extérieurs de richesse et t'attacherais aux signes intérieurs de détresse comme tu as su, j'en suis sûr, débusquer les miens derrière mes jeux de mots et mes couchers de soleil.

Tu refuserais les odeurs qui agressent, mais sans doute garderais-tu, pour la nostalgie d'un temps qui se meurt, celle si particulière du métro qu'on ne détecte plus que sur la ligne 12 – Mairie d'Issy/Porte de la Chapelle – la dernière à avoir vu circuler des wagons brinquebalants en bois rouge et vert. Te souviens-tu, Marine, du dessin qui ornait les portes de ces wagons, un filet doré qui faisait le tour de la porte et se compliquait à chaque angle d'une sorte de fleur stylisée dont je cherchais, enfant, à reproduire de mémoire le tracé exact d'un seul trait, sans lever le crayon du papier ? Un jour, j'ai vu une petite fille suivre de l'index ce filet doré et essayer à son tour de mémoriser le dessin. C'était il y a dix ans à peine, une éternité. La petite fille a grandi, les voitures de la ligne 12 sont aujourd'hui montées sur pneus, et l'odeur de ferraille chaude et de poussière du métro s'estompe peu à peu.

C'est en jouant au monde que je t'ai gardée cette nuit chez moi. J'avais décidé que tu y viendrais. Je savais – ne me demande pas comment – que je reverrais la jeune fille au panier de pommes et j'ai gardé exprès ton bonnet. Je me suis aperçu tout de suite que tu l'avais oublié, j'aurais pu te courir après : « Mademoiselle, vous oubliez votre bonnet ! » mais je l'ai conservé avec l'intime conviction, devenue mon « Jouer au monde » de ce jour, que nous allions nous retrouver. Tout peut arriver quand on y croit très fort.

Jouer au monde, c'est devenir maître de l'univers. De son propre univers. J'ai envie d'y jouer avec toi, de découvrir en ta compagnie d'autres images à pirater, d'autres façons de faire faux bond à la laideur des jours ordinaires.

Petite Marine, je sais que tu attendais de moi autre chose que cette drôle de nuit où tu t'es sentie égarée en pays hostile. Je sais que tu as eu peur du cyclone dans mon studio pourtant bien calfeutré, que tu as bataillé avec des terreurs d'enfance que j'ai senties durant le court instant où je t'ai serrée contre moi. Pardonne-moi, je ne sais pas apaiser ces terreurs, peut-être parce que je bataille moi-même avec des nuages ennemis.

J'aimerais me dire que tu viens d'une autre planète, tombée du ciel pour rejoindre la mienne. Mais autant te prévenir : la mienne n'est pas la terre. Moi aussi je viens d'ailleurs et nous risquons d'aller très loin ensemble si tu reviens, comme je le crois.

8

Les notes du *Concerto n° 1* de Tchaïkovski dévalent l'escalier en trombe. Elles roulent de plus en plus vite sur la moquette et se mêlent à l'odeur de frites et de lessive du lundi pour former l'émulsion spécifique à tout immeuble bourgeois, « eau et gaz à tous les étages », avant d'atterrir mollement dans le hall où elles éclatent l'une après l'autre en gouttelettes irisées. Au quatrième étage, Alexandre saisit son oreiller et le plaque avec fureur sur sa tête en hurlant :

« Fait chier avec son concerto ! Mal au crâne, veux dormir. »

Il n'a qu'un vague souvenir de la veille, si ce n'est que la soirée s'est terminée fort tard, en compagnie d'une attachée de presse aux cuisses longues et fermes. Alexandre est cadre au long cours dans une entreprise de relations publiques où il justifie ses appointements par quelques heures de travail efficace. Il passe le reste de ses journées à planifier des soirées qu'il ne supporte pas solitaires. Au fil des années, son répertoire s'est enrichi d'adresses dans lesquelles il n'a en principe qu'à piocher pour s'offrir une compagne d'un soir. Ses collègues envient ce qu'ils appellent son charme. « Ce n'est pas qu'Alexandre ait un physique extraordinaire, disent-ils, mais tout de même, quel charme ! » Alexandre le sait. Depuis l'adolescence il est gêné par son regard trop clair, presque transparent, ses yeux si grands que chacune tient à s'y noyer pour le plaisir de remonter à la surface en clamant à la face du monde qu'elle a exploré d'abyssales profondeurs. L'intelligence du cul, voilà leur fantasme... Alexandre ne supporte plus sur sa nuque la main des femmes persuadées qu'elles sont la première, sinon à lui murmurer « Tu as la peau douce », du moins à le lui dire aussi bien. Il hait leur prétention à décrypter des motivations inconscientes là où lui-même ne cherche qu'un plaisir partagé. Il n'en peut plus de leur envahissante tendresse post-coïtale censée dédouaner leurs débordements de ce qu'ils pourraient avoir de simplement sexuel. Il s'en agacerait moins s'il pouvait s'en passer.

La veille, il s'est retrouvé seul dans son bureau. Ses collègues étaient partis très tôt, pressés de rejoindre avant la nuit leur maison de week-end pour y allumer un feu de cheminée capable d'enrayer l'humidité mortelle de cette fin d'année. Il pleuvait des cordes, Alexandre avait mal à la gorge. Page après page, il avait consulté son répertoire. Aucune femme à la lettre « A » ne lui avait semblé digne de partager son étrange mélancolie. Il ne s'en était pas ému outre mesure, persuadé que les vingt-cinq lettres suivantes lui livreraient des trésors. Dehors, une enseigne lumineuse s'éclairait alternativement d'une croix verte et d'un caducée rouge. Le traiteur voisin descendait le rideau de fer de sa boutique après avoir refilé sa dernière portion de céleri rémoulade à une vieille fille au frigo vide qui la mangerait seule dans sa cuisine en feuilletant son magazine télé. Le métro régurgitait des hordes de voyageurs mal lavés puant le chou aigre. Aux lettres « D » puis « E », l'assurance d'Alexandre fit place au doute. Le sexe lui semblait à présent dérisoire pour combler sa solitude. Un sentiment de vulnérabilité, comme un goût de rouille, lui emplit la bouche.

Son regard tomba alors sur un carton d'invitation à un cocktail... Il y alla sans conviction, y rencontra l'attachée de presse. Ils bavardèrent – beaucoup –, rirent davantage encore, chacun dans son rôle de winner adepte du second degré et de la dérision. Peu à peu ils se regardèrent différemment à travers les bulles de champagne. Alexandre proposa à la jeune femme de l'emmener dîner dans un restaurant chinois en lui promettant « le plus sublime canard laqué de Paris ». Sous ses doigts flâneurs, il sut très vite qu'elle avait envie de lui. Deux verres d'alcool de rose plus tard, la cause était entendue. Il la conduisit chez lui en plaisantant :

« Ne faites pas de bruit, la concierge est persuadée que je suis clerc de notaire et mène une vie monacale. »

L'attachée de presse retira son manteau, morte de rire, puis décréta qu'Alexandre n'était décidément pas un homme ordinaire, tout comme elle-même se sentait à part dans ce milieu frelaté de la com. Avant qu'elle ne sorte une autre ineptie, il la renversa sur le canapé auquel elle s'appuyait avec une difficulté éthylique. Il la dévora rageusement, pressée de l'entendre jouir, puis la pénétra et la fit jouir deux fois encore à peu de minutes d'intervalle, avec une fureur qu'elle prit pour de la fougue. Contrat rempli. Après ces trois orgasmes réglementaires, ils burent une demi-bouteille de vodka glacée, puis la fille repartit en taxi, laissant Alexandre en tête à tête avec une migraine carabinée.

La musique s'était tue. Alexandre se demanda pourquoi son voisin arrêtait toujours le disque après le premier mouvement. Il ne l'avait jamais croisé dans l'ascenseur et se demanda si ce mec n'était pas un psychopathe. Ou un monomaniaque. Il pensa ensuite, sans lien aucun, qu'il aimerait un jour payer une prostituée pour ne rien lui faire, juste lui demander de le contempler nu, voir briller ses yeux puis l'abandonner, stupéfaite et déçue. Il aimait l'idée qu'une professionnelle pût le désirer... Sa migraine s'était un peu atténuée. Il se leva en bâillant : « Vais prendre une douche. » En pissant dans la cuvette, il remarqua qu'il y avait du tartre sur l'émail et résolut de faire un grand ménage. Ce projet le rasséréna.

9

Marine retrouve la rue avec un sentiment mitigé, celui que doivent ressentir les otages lorsque les ont délivrés, après avoir dûment touché la rançon, leurs ravisseurs courtois et discrets. Certes, il y a un soulagement à recouvrer la liberté, à reconnaître l'odeur des rues comme une amie perdue de vue depuis longtemps, à aller et venir à sa guise, à gravir un trottoir ou traverser la chaussée sans y penser, sans qu'une voix douce au timbre menaçant murmure derrière vous : « N'oubliez pas, au moindre geste suspect, vous êtes mort », et l'on est sûr aujourd'hui que les doigts n'hésitent pas une seconde sur la gâchette.

Et puis revoir ses amis, bavarder de tout et de rien, dévorer un double hamburger/Coca/frites à un comptoir où s'entassent de futures stars ou des cadres pressés, entrer seul dans un cinéma pour y voir le film de son choix, s'enthousiasmer ou s'indigner pour des futilités et même, oui même, PESTER CONTRE LA PLUIE parce qu'elle a repris de l'importance à présent que votre vie n'est plus en jeu... Tous ces actes ordinaires, si monotones qu'un vertige vous prend parfois à les répéter au fil des jours, en vous demandant si plus rien d'extraordinaire ne vous arrivera et si vous êtes désormais condamné à filer jusqu'à la mort sur l'autoroute du bonheur, sans le moindre dérapage pour accélérer quelque peu le rythme de votre cœur.

Ces jours-là vous reviennent en mémoire Sam et Joe par la grâce desquels, plusieurs semaines durant, vous aviez eu les honneurs des médias. Vous étiez un fait-divers quotidien, chaque jour votre photo apparaissait sur les écrans de millions de téléspectateurs passionnés par votre sort. Jusqu'à votre libération qui les a détournés de vous. D'autres faits-divers ont suivi. Place aux nouveaux titres, vous ne méritez même plus cinq lignes en dernière page. Alors vous collectionnez les coupures de presse qui parlent d'un étrange individu qui porte votre nom et que vous ne reconnaissez pas. Les photos jaunissent vite sur cet éphémère papier, les traits s'estompent, donnant aux visages une irréalité progressive. Vous vous souvenez pourtant que cet individu s'éveillait chaque matin en se demandant s'il serait vivant le soir. Les ultimatums se succédaient, tous assortis d'une condamnation à mort en cas de non-respect de l'échéance fixée. Vous vous souvenez que l'individu que vous étiez se demandait si la balle qui transpercerait son corps serait douloureuse, à quel instant précis il en sentirait l'impact, comment elle pénétrerait ses chairs et s'il sentirait la vie s'en échapper.

Avec ces seules interrogations, vous arriviez à passer une journée intense, savourant chaque minute avec volupté en la vivant comme la dernière, et peu de crainte. La grâce d'état qui permet d'envisager sa fin avec sérénité vous avait saisi, si mécréant que vous ayez été depuis des années. Jamais vos cinq sens ne s'étaient trouvés davantage en éveil, capables de capter avec acuité la plus infime variation de l'environnement, une densité différente de l'air ou l'errance des poussières dorées qui tombaient du vasistas de votre cellule comme un ballet de particules élémentaires. Après en avoir souffert les premiers jours, vous aviez découvert la jouissance du silence et de l'immobilité et commencé à apprécier d'être seul avec vous.

Libre, vous voici à nouveau obligé de faire des choix. Les premiers jours on pardonne votre indécision à cause du choc psychologique que vous avez subi, mais bien vite votre regard rêveur agace, votre amour tout nouveau de la solitude inquiète. Vos proches vous demandent, ON vous demande des justifications à tous vos actes, ou à tout le moins des actes. On vous propose des calmants et des euphorisants, on vous entraîne dans des fêtes bruyantes et joyeuses qui vous navrent. La vie reprend ses droits, pauvres droits si grignotés qu'il vous arrive de vous sentir moins libre ici que là-bas : « Une maison en pleine forêt d'où l'on m'autorisait parfois à sortir pour faire quelques pas dans la nature. »

Personne n'a jamais retrouvé cette maison et vous rêvez de nature entre Montparnasse et Denfert-Rochereau.

Devant Marine, un bus démarre brusquement, alors qu'elle levait la main pour qu'il l'attende. Il porte sur ses flancs d'énormes calembours « ALLO... PERA » « ALLO... BELIX » auxquels des téléphones géants répondent pour le compte d'un populaire marchand de meubles. En ce milieu des années 1980, les campagnes de publicité hésitent entre les jeux de mots et le populisme et abusent des deux.

Vacarme de la ville. Une voiture klaxonne, effrayant une minuscule vieille dame qui tente de traverser à petits pas prudents. Une moto vrombit et décrit un superbe demi-tour sur l'avenue, un marteau-piqueur fait trembler le trottoir. Marine se réfugie sur l'esplanade piétonne, espérant y trouver un peu de calme. Elle ne se souvient pas s'être sentie aussi agressée depuis longtemps, comme si la nuit passée chez Antoine l'avait dépouillée de ses armures et livrée sans défense à la ville. Au bout de son bras, son sac de voyage pèse lourd. Elle s'arrête pour le changer de main et est aussitôt abordée par un jeune homme au regard pâle.

« Bonjour, pensez-vous que le monde est heureux ?

— Sûrement pas ! », s'écrie-t-elle, au bord des larmes. Ses pieds à l'étroit dans ses chaussures lui causent des élancements brûlants, elle a les doigts gourds et mal à la tête, sans compter une tristesse diffuse d'origine non contrôlée. Comment le monde pourrait-il être heureux dans ces conditions extrêmes ?

« Moi non plus, poursuit le jeune homme.

— Vous non plus quoi ?

— Moi non plus, je ne pense pas que le monde soit heureux.

— Si tout le monde se met à penser cela, on n'en sortira pas !

— Et pourquoi pas ? Nous avons la solution. Prenez cette carte et venez nous rejoindre.

— Vous rejoindre ? Mais qui êtes-vous ?

— Nous sommes une bande de jeunes...

— À vous tout seul ?

— Non, tous unis par l'amour de Christ vivant qui nous protège et nous donne la vie éternelle. »

Ce disant, le jeune homme sourit mécaniquement, salue, esquisse un tour de piste et termine par une révérence d'une rare élégance. Marine glisse la carte dans sa poche sans même la regarder et poursuit son chemin. Un gigantesque Noir toutes dents dehors se dresse face à elle, masquant le chétif soleil d'hiver.

« Bonjour, voulez-vous participer à un sondage pour la peine de mort ?

— Je suis contre.

— Très bien, je coche la case "contre", ça c'est bon.

— Bon pour les condamnés surtout !

— Oh, les condamnés... ils ne sont pas au courant du sondage. »

Le grand Noir éclate d'un rire de bon vivant :

« Il vaut mieux, hi, hi ! Parce que la majorité est pour. Elle regrette la guillotine, c'était rassurant pour elle.

— La majorité est toujours pour, de toute façon.

— C'est exact, c'est même pour cela qu'on l'appelle la majorité et les autres l'opposition.

— J'ai horreur de la majorité, lance Marine avec humeur.

— C'est le cas de la majorité des gens. Personne n'aime la majorité, tout le monde veut s'en différencier, mais elle représente mathématiquement plus de 50 % de la population. »

Le grand Noir lui tend une carte :

« Tenez, vous êtes sympathique. Si le cœur vous en dit, venez à cette adresse, c'est le restaurant de mon frère. Il prépare les meilleurs mafés de la capitale. Je vous inviterai. »

La carte du restaurant va rejoindre celle du jeune homme dans la poche de Marine, qui se demande où elle pourrait se poser quelques secondes sans être dérangée. Elle opte pour les gradins de pierre cernant l'esplanade, sur la tranche desquels une main anonyme a inscrit : *La tyrannie est comme le sel de la mer, on ne la voit pas mais elle est partout.*

Un drapeau français défraîchi pendouille le long d'un poteau de bois. Malgré le temps calme, des papiers roulent sur le sol, poussés par une brise que le passage entre deux tours trop hautes a métamorphosée en agressive bise. Certains jours, le vent joue à l'ouragan. Les passants luttent tête baissée contre la bourrasque, les mains plaquées contre leurs oreilles pour retenir leur chapeau ou leurs boucles emmêlées, les femmes tentent du plat de la main d'empêcher leurs jupes de se soulever jusqu'à la taille.

Marine ne se décide pas à commencer sa journée. Il lui semble avoir peu dormi, sans qu'elle ait véritablement sommeil. Sous son crâne gonfle une torpeur visqueuse, comme ces matières que l'on trouvait dans certaines lampes design des années 1970 qui n'en finissaient pas de se soulever en vagues prêtes à crever et que la chaleur de l'ampoule faisait retomber au fond du tube sans qu'elles parvinssent à achever leur mouvement. Marine enfouit ses mains dans ses poches. Ses doigts effleurent un objet dur et plat qu'elle identifie comme la clé de l'appartement d'Antoine. Elle la sort, la tourne et la retourne, pensive, puis la caresse comme si devait en jaillir un éclair de génie.

Venu d'un autoradio, un carillon annonce les informations de 10 heures. Marine se lève en soupirant et reprend son sac. Elle suit son chemin machinal sans plus chercher à mettre de l'ordre dans ses pensées et se retrouve bientôt devant la porte de son immeuble.

« Mademoiselle ! »

La gardienne surgit de sa loge, un paquet de lettres à la main, au moment où Marine appuie sur le bouton de l'ascenseur. Elle lui tend les enveloppes et bafouille, essoufflée par un asthme chronique :

« Voici votre courrier, il y a aussi celui d'hier, vous ne l'aviez pas pris.

— Merci, madame Lafarge.

— Votre mère a téléphoné deux fois hier soir, je lui ai dit que vous n'étiez pas rentrée, pour pas qu'elle s'inquiète, la pauvre.

— Vous avez bien fait, ironise Marine, ça a dû la rassurer de me savoir dehors si tard !

— C'est bien ce que j'ai pensé, d'autant que vous n'étiez pas là.

— Très bien, je vous remercie, madame Lafarge, je la rappellerai tantôt. »

Marine entre dans la cabine et sent le regard lourd de la concierge sur son sac de voyage, qui se met brusquement à peser trois tonnes. En refermant la grille métallique, elle se demande si le vieil ascenseur va accepter cette surcharge.

Dans son studio qu'il lui semble avoir quitté depuis des années, rien n'a changé. En deux jours, l'inverse aurait été surprenant. Elle retrouve les gestes machinaux de qui rentre chez soi : accrocher son manteau à la patère, écouter les messages sur le répondeur. Marc a appelé trois fois, la dernière sans doute assez tard car sa voix a une inflexion inquiète :

« Marine, c'est encore Marc. Je n'arrive pas à te joindre, peut-être as-tu réussi à aller à Poitiers ? S'il te plaît, téléphone-moi dès que tu auras ce message, je te donne mes deux numéros directs. »

Marine note les chiffres et se promet de rappeler rapidement. Elle a très envie de revoir Marc et sa compagne Sarah :

« Vous êtes un beau couple, leur avait-elle dit, lorsqu'elle les avait croisés en coup de vent un jour de vacances. Ne changez pas, surtout ! » C'est à Marc qu'elle avait eu spontanément envie de téléphoner après avoir manqué son train. Marc, comme une évidence dans sa vie.

Elle s'allonge sur son lit et ferme les yeux. Sous ses paupières s'étirent deux nuages roses rescapés du coucher de soleil d'Antoine. Elle tente de les happer du bout des lèvres mais ne saisit que du vide. Loin de ce drôle de garçon, les images se refusent à vivre. Elle a la nostalgie du vent qu'il lui a offert. Dans son studio ne pénètre aucun souffle, isolation thermique oblige, et les murs restent désespérément verticaux. Mécontente, elle ouvre les yeux et décide de prendre une douche chaude. Sans son engourdissement peu propice à l'héroïsme, elle opterait pour une douche glacée. Elle se savonne longuement avec un gel vert au parfum boisé qu'elle utilise depuis des années. Il lui faut retrouver ses habitudes, remettre les pieds dans ses propres marques.

« Quand tu te sens mal, épluche un kilo de pommes de terre. » C'est une phrase de sa mère, que Marine a entendue seriner durant toute son adolescence :

« Souviens-toi, ma chérie, le corps et l'esprit se structurent autour de choses simples. Lorsque quelque chose les dépasse, ramène-les à des rituels élémentaires. À la mort de ton père, j'ai pétri un nombre incalculable de pâtes à tarte. Le contact de la farine et l'odeur du beurre m'ont mieux aidée à affronter la réalité que les séances avec mon psy. La routine est pesanteur, crois-tu ? Tu as mille fois raison. Mais sans pesanteur, tu as vite fait de quitter cette terre. Il faut s'ancrer au sol pour garder l'équilibre. Il paraît d'ailleurs que les prisonniers et les otages font de même. Ils s'imposent des rituels qui les aident à ne pas devenir fous. »

Marine avait expérimenté le procédé avec succès, y compris sur les autres. Un déséquilibré l'avait un jour agressée à deux cents mètres de chez elle. Il avait plaqué la main sur sa bouche et l'avait entraînée entre une palissade et une baraque de chantier où personne ne pouvait les voir en cette nuit tombante. Elle n'avait pas crié, ne s'était pas débattue, avait même résisté à l'envie de mordre la paume de son agresseur, tout entière concentrée sur l'idée qu'il ne fallait pas rentrer dans son jeu : « Il n'attend que cela, que tu montres ta peur. Ramène-le sur terre. »

Elle avait guetté la seconde où il desserrerait son étreinte pour soulever sa jupe, elle en avait profité pour saisir ses deux mains, sans violence. D'une voix de basse, elle avait murmuré à son oreille :

« Il fait vraiment très froid. Que diriez-vous d'une tasse de café… avant ? »

Si l'homme avait eu deux sous d'ouïe, il aurait entendu cogner le cœur de Marine et perçu avec délectation son affolement. Dieu merci c'était un être fruste, et seul le son de la voix étonnamment calme l'atteignit, ainsi que le regard de la jeune fille qu'elle avait planté droit dans le sien pour le forcer à regarder qui il s'apprêtait à violenter. Bref, cette salope lui avait cassé son scénario d'épouvante, le seul capable de le faire jouir.

L'homme l'avait laissée s'enfuir en la gratifiant d'un « Casse-toi, sale pute ! » qui en révélait long sur son désarroi. Marine s'était éloignée à pas lents – surtout, rester calme jusqu'au bout – et était allée boire un café dans un bar pour se remettre.

Elle sourit à ce souvenir. Sa mère avait été ravie de sa réaction et très fière à l'idée qu'elle y était sans doute pour quelque chose. Elle avait bassiné Marine durant toute son enfance avec ses théories sur l'importance du réel comme de l'imaginaire, émaillées de formules qu'elle répétait comme des mantras censés conjurer les peurs et le chaos :

Au fond de la piscine, donne un coup de pied pour remonter.

Même le plus cruel terroriste a un jour été un bébé.

Dans la pire des situations, il arrive toujours un moment où tu t'écroules de sommeil (variante : *où tu as envie de faire pipi*) et le fleuron du patrimoine familial, proverbe prétendu chinois dont Marine avait eu maintes fois l'occasion de vérifier l'efficacité :

Si tu as le cafard, mets des chaussures trop petites, tes problèmes deviendront relatifs.

Hélas, ces formules valaient pour ce monde-ci, avec ses violences dures mais prévisibles, ses trahisons attendues. Dans le monde d'Antoine, elles perdaient leur vigueur et mollissaient comme des méduses mortes.

Marine s'habille. Elle se sent mieux mais toujours quasi absente. État second désagréable contre lequel il lui faut réagir.

Elle hésite une seconde puis appelle les renseignements :

« Bonjour, quel nom demandez-vous ?

— Je voudrais un numéro situé 7, rue Lewis-Carroll.

— Nom de l'abonné ?

— Je ne sais pas, je connais juste l'adresse. Il s'appelle Antoine.

— Je n'ai pas d'abonné au nom d'Antoine à cette adresse.

— Évidemment, c'est son prénom.

— Écoutez, mademoiselle, nous ne pouvons pas donner de numéro sur un prénom. J'ai seize abonnés au 7, rue Lewis-Carroll, et pas un seul Antoine.

— Vous avez peut-être un A. quelque chose. Des fois il y a juste l'initiale. »

Marine entend soupirer à l'autre bout du fil. Il y a des cliquetis, comme si la communication allait être coupée. Au standard, la préposée pose la main sur le combiné et chuchote à son collègue :

« Ce doit être une fille qui cherche son amoureux, elle n'a que le prénom. Je fais quoi ?

— Bof, donne-lui deux ou trois numéros, ça l'occupera.

— Mademoiselle, au 7, rue Lewis-Carroll j'ai un Duteil, A., un Morrissot, A. et un Féroux, A. Vous avez de quoi noter ? »

Marine griffonne les trois séries de chiffres, raccroche et regarde le papier en articulant à voix haute : Antoine Duteil, Antoine Morrissot, Antoine Féroux. Aucun nom n'émerge comme une évidence. Elle compose le premier numéro. Dès qu'elle entend la sonnerie, elle imagine Antoine posant précipitamment son pinceau sur le bord du chevalet :

« Allô ? » fait une voix de femme.

Marine sent son cœur sur le point d'exploser. Elle n'a pas imaginé un seul instant qu'une voix féminine puisse répondre à son appel. Elle articule avec peine :

« Bonjour, je voudrais parler à Antoine.

— Antoine ? Vous devez faire erreur, il n'y a pas d'Antoine ici.

— Je ne suis pas chez M. Antoine Duteil ?

— Pas du tout. Je m'appelle bien Duteil, mais Anne-lise, et je ne connais aucun Antoine.

— Excusez-moi, je suis désolée de vous avoir dérangée.

— Je vous en prie. »

Chez les Morrissot, le téléphone sonne sept, huit, neuf fois. Marine patiente pour la forme, certaine qu'en trois sonneries au maximum même un unijambiste pourrait traverser le studio d'Antoine dans sa plus grande diagonale. Morrissot doit habiter un appartement du dessous. Elle imagine un corridor sombre, une tapisserie marron dont les traces d'humidité sont masquées par le calendrier des Postes ou un canevas au petit point représentant un poulbot urinant contre un réverbère. Le téléphone est sans doute posé sur une console dans l'entrée, mais personne ne bouge pour aller répondre.

« Téléphone ! Albert, j'ai les mains dans l'eau, réponds ! grince Janine Morrissot depuis la cuisine.

— Peux pas, grommelle l'autre, j'suis au water, vas-y, toi ! »

Mme Morrissot grogne par habitude, essuie ses mains à son tablier et traverse le couloir en traînant des savates. Le téléphone cesse de sonner à la seconde où elle allait décrocher :

« Trop tard ! jubile-t-elle. T'avais qu'à dire plus tôt que t'étais occupé. »

Marine a raccroché, soulagée qu'Antoine ne s'appelle pas Morrissot. Il ne lui reste plus que Féroux, vers qui elle tente une offensive directe :

« Allô, Antoine ?

— Je ne m'appelle pas Antoine, fait une voix amusée, et je le regrette car vous semblez charmante. Que puis-je pour vous ?

— Je cherche à joindre un occupant de votre immeuble qui s'appelle Antoine. Peut-être le connaissez-vous ?

— Hélas, mademoiselle, nous sommes dix-huit locataires, et pas tous intimes !

— Dix-huit ? Mais il n'y a que seize numéros dans l'annuaire à cette adresse !

— Cela prouve que l'équipement téléphonique de notre beau pays laisse encore à désirer, ou que certains locataires sont sur liste rouge. Quoi qu'il en soit, chère amie, je m'appelle Alexandre, j'ai les yeux verts, un joli chaton angora, d'excellents disques et un bar bien garni. Ne pourrais-je suppléer le mystérieux Antoine ?

— C'est gentil, mais... non. Il faut absolument que je le retrouve. Il habite au sixième.

— Mon Dieu, je ne monte jamais si haut ! »

Alexandre soupire :

« Bienheureux l'homme capable de susciter tant de détresse dans une si jolie voix. Je vous souhaite bonne chance pour vos recherches et espère sincèrement que vous allez le retrouver. Si par hasard vous changez d'avis, n'hésitez pas à m'appeler... Vous avez mon numéro. »

Le sort en est jeté. Il n'y aura pas de quatrième coïncidence, pas de nouvelle rencontre inattendue entre elle et Antoine. Marine accepte ce diktat avec un détachement qui la surprend, presque un soulagement, comme si ces quelques minutes passées au téléphone avec des inconnus avaient gommé sa nuit irréelle. Elle appelle sa mère et la prévient qu'elle passera le week-end suivant avec elle, juste après Noël.

« Dis-moi, tu ne seras pas seule, le 24 ? s'inquiète Marine.

— Non, la rassure Madeleine, ne te fais aucun souci. Je réveillonne chez les Girodet. Tu étais invitée aussi, bien entendu, mais ils comprendront parfaitement que tu préfères passer Noël à Paris. Nous nous offrirons un petit souper fin quand tu viendras, veux-tu ?

— Si je veux ? Un peu, oui ! Je suis désolée pour le train, je l'ai manqué d'un rien. Et puis je dois avouer que je préfère te voir tranquillement, hors des cérémonies officielles.

— Ne t'excuse pas, ma chérie, cela n'a aucune importance. »

Marine raccroche avec une pointe de mélancolie. Elle imagine la maison, là-bas, avec du givre décorant les balcons lorsqu'on ouvre les fenêtres le matin, et les rosiers encore en fleur en plein hiver. Une année où il avait fait doux, l'un d'eux avait persisté dans sa floraison jusqu'aux premières neiges apparues à la mi-janvier, si bien que le dernier bouton de rose avait disparu sous les flocons.

Cette année-là, deux de ses camarades s'étaient mariés à quelques semaines d'intervalle. Marine avait assisté à leurs noces, étonnée de voir Simon, si fantasque et rebelle, répondre « oui » à une fade courtière en assurances dont l'essentiel des préoccupations semblait tourner autour de la meilleure façon d'utiliser un livret d'épargne logement ou de placer ses économies en SICAV. Les jeunes mariés avaient très vite acheté à crédit sur quinze ans un pavillon à quelques kilomètres de Poitiers, sur trois ans une chaîne hi-fi et une télévision haut de gamme, sur quatre ans leurs deux voitures neuves, et ils ne sortaient pratiquement plus, écrasés par les traites qui grevaient lourdement leur budget.

Élodie, amie d'enfance de Marine, avait suivi le même chemin. Elle qui rêvait de devenir danseuse de jazz attendait son troisième bébé en cinq ans de mariage. Elle avait arrêté ses études avant le bac pour la danse, puis arrêté la danse avant d'être professionnelle, pour Renaud. Lui n'en revenait pas d'avoir séduit cette superbe fille aux yeux verts et aux longs cheveux cuivrés, dont l'apparition sur les scènes régionales lors des galas de fin d'année du Conservatoire déchaînait le délire d'une foule de groupies autant femelles que mâles. À l'époque, il faisait terne auprès d'elle. Depuis, Élodie s'était épaissie et dévorait les pages des magazines censés apporter des solutions à ses problèmes de bourrelets, noyant sa déconvenue dans la bière et les alcools forts. De ses rêves d'antan ne restaient que quelques photos d'une danseuse en justaucorps gris, les yeux agrandis par le maquillage de scène, sur lesquelles elle avait peine à se reconnaître.

Renaud avait plutôt bien mûri. Il gagnait un salaire confortable et s'intéressait de plus en plus aux placements boursiers juteux et aux jeunes filles pubères bouleversées par sa voix grave et ses boucles grisonnantes. Son travail lui laissait tout loisir d'organiser ses secrètes escapades, avec pour devise : « Tant que l'autre ne sait rien, on ne lui fait aucun mal. » Si ce n'est que sa vie amoureuse était un secret de Polichinelle et un sujet de conversation privilégié pour leurs amis, qui en riaient.

Marine ne manquait jamais d'aller voir ses amis quand elle rendait visite à sa mère. Le temps d'une soirée, ils tentaient de recréer la complicité de leurs années de lycée mais le cœur n'y était plus. Passée l'évocation de leurs frasques passées, ils n'avaient pas grand-chose à se dire. D'ailleurs, ainsi que l'avait appris sa mère à Marine stupéfaite, Élodie et Simon, si intimes au lycée que beaucoup avaient cru à une « histoire » entre eux, ne se voyaient depuis leur mariage qu'à l'occasion des dîners organisés par Marine, autant dire une ou deux fois par an.

« Que veux-tu, c'est la vie ! » avait conclu Madeleine avec un sourire contraint.

C'était vrai, mais pas admissible pour autant.

Seuls Marc et Marine n'avaient pas changé, assurait Madeleine :

« Son amie Sarah est une fille remarquable, architecte dans un gros cabinet et toujours prête pour l'aventure. L'an dernier, elle et Marc ont parcouru une partie du Laos à pied, cette année je crois qu'ils vont au Groenland. Vous serez les derniers bohèmes de la bande.

— Eh ! Marc n'est pas de ma bande, c'est un vieux, la taquinait Marine.

— Il n'en a que plus de mérite, soulignait Madeleine.

— Tu as pour lui l'indulgence d'une ancienne amoureuse... »

La fille et la mère s'observaient en souriant, complices. Après Marc, Madeleine avait aimé d'autres hommes dont elle parlait moins, sans pour autant faire mystère à sa fille de ses liens. Marine respectait les jardins secrets de sa mère et se réjouissait de ses relations amoureuses. Il lui arrivait de penser que sans la mort prématurée de son père, elle n'aurait jamais eu l'idée de considérer sa mère comme une femme. Dans son esprit d'enfant, autrefois, n'existaient que ses parents, entité chaude et rassurante sans failles ni défaillances, entièrement vouée à sa protection. Cet univers sûr s'était écroulé un jour d'août brûlant. Depuis, Marine savait la fragilité du bonheur et l'imprudence qu'il y a à trop compter sur lui. Son insouciance enfantine avait fait place à une lucidité qu'elle prétendait salutaire, mais il lui arrivait d'envier les myopes qui n'ont du monde qu'une vision floue, poétique comme un poster de David Hamilton.

La sonnerie du téléphone la fait sursauter. Toute à sa rêverie, Marine avait glissé dans une agréable somnolence. Elle décroche. La voix joyeuse de Marc qui l'invite à une soirée la réveille tout à fait :

« Il faut vraiment que j'aie envie de te joindre, s'exclame-t-il, j'ai essayé dix fois, c'est constamment occupé.

— Excuse-moi, j'avais plein de coups de fil à donner. C'est quand ta fête ?

— Ce soir. Du beau monde, mais sympa. »

Marine accepte. Une fête sera le meilleur antidote à ses rêveries envahissantes.

10

Par la double baie vitrée du séjour, Madeleine contempla les champs ras sur lesquels le soleil d'hiver tentait d'accrocher ses rayons. La terre était dure en cette saison, racornie par la sécheresse que n'avaient pas réussi à entamer les averses de novembre. Des oiseaux noirs, corbeaux ou rapaces, tournoyaient inlassablement au-dessus de ces étendues brunes dans l'espoir d'y détecter quelque proie. De temps à autre l'un d'eux se posait et son corps se fondait alors dans les creux de la terre. De loin, on aurait cru d'immenses feuilles mortes tombant lentement d'arbres invisibles. Sur la route départementale, un peu en surplomb, quelques voitures passaient dans un fugace éclair gris ou blanc de bétaillères ou de véhicules sans grâce choisis pour leur robustesse et leur sobriété. Les bruits semblaient étouffés par la brume résiduelle. Seul le ronronnement lointain des moteurs agricoles créait un fond sonore.

Avec les années, Madeleine s'était éprise de cette campagne aux courbes indolentes où rien ne semblait pouvoir arriver que le temps n'apaisât. Les gens d'ici vivaient à un rythme inéluctable, qu'elle-même avait adopté en revenant s'installer dans cette maison après six ans passés à Paris. Deux ou trois fois par an, Marine venait la voir pour de courts séjours illuminés de confidences et de fous rires. Madeleine regardait sa fille et s'émerveillait toujours que cette jeune femme indépendante et belle assise en face d'elle vînt de son ventre. Qu'on puisse fabriquer des êtres humains continuait à l'étonner, et plus encore l'idée que cette création soit à la portée du premier imbécile venu. Si Dieu existait, elle le trouvait bien inconséquent d'avoir permis cela.

« Tu as raison, riait Marine, naître, procréer et mourir sont les actes les plus importants de la vie et les seuls que tout le monde a le droit de faire sans contrôle, même un crétin abyssal, alors que dans n'importe quel autre domaine on te demande de prouver tes compétences. »

Toutes deux adoraient ces discussions absurdes qui accompagnaient si bien leur appétit de vivre, les cassolettes de cagouilles et le vin charentais. Marine repartait par le dernier train du soir, laissant sa mère à la fois mélancolique et soulagée. Madeleine avait pris goût à l'indépendance, même s'il lui semblait parfois douloureux de se réveiller seule. Certains matins, elle devait chercher des forces en elle pour affronter la journée, puis la vie revenait, docile, prête à se plier à ses exigences et à ses désirs. La solitude autorise une telle spontanéité...

Il lui arrivait à la belle saison de prendre sa voiture et de rouler jusqu'à La Rochelle uniquement pour aller s'emplir les yeux des lumières du crépuscule sur les tours de la Chaîne. Heure suspendue entre jour et nuit, quand les promeneurs s'attardent sur les quais, attroupés devant les étals éphémères d'artisans proposant bijoux gothiques ou ceintures de cuir à la lueur vacillante des lampes à pétrole, ou se pressent en foule devant la carte des restaurants de poissons et fruits de mer.

Madeleine trouvait aux Rochelais un pas libre de navigateurs rebelles, comme si leurs gènes se souvenaient de la résistance héroïque de leurs ancêtres lors du siège de la ville. Un pas de corsaire différent de celui, plus pesant, des marins bretons, aux antipodes de la démarche chaloupée des pêcheurs aux petits métiers des ports méditerranéens. Elle observait les passants en sirotant un café frappé, tandis que des musiciens jazzy faisaient vibrer l'arrière-salle enfumée. Elle savourait sa disponibilité qui lui permettait de s'attarder jusqu'à la fermeture à la terrasse du café, avant de rentrer en roulant doucement toutes vitres ouvertes, avec l'autoradio diffusant à plein régime les impromptus de Schubert interprétés par un Radu Lupu inspiré. Aurait-elle connu cette paix, cette sérénité jubilatoire, si le destin ne lui avait pas donné un coup de poignard dans le dos dix-huit ans auparavant ?

Ce jour-là, il faisait un temps limpide et chaud de campagne assoupie. Madeleine prenait un bain de soleil sur la terrasse. Allongée sur un transat à rayures orange et jaunes elle somnolait, n'entrouvrant les yeux que pour surveiller la progression du bronzage sur sa peau huilée. Le livre entamé depuis deux semaines gisait à l'envers sous la chaise longue, ouvert à la dernière page que la jeune femme avait réussi à déchiffrer. La réverbération sur le papier était éblouissante et l'empêchait de fixer longtemps son attention. De temps à autre, elle chassait d'un revers de main une guêpe ou un moucheron attiré par l'odeur vanillée de l'huile solaire. Le bruit régulier des moissonneuses la berçait, lui procurant un sentiment d'extrême quiétude.

Marine était à l'école, ultime semaine avant les vacances. Les carnets étaient rendus, elle changeait de classe avec les honneurs. Elle rentrerait vers 5 heures et goûterait à son habitude d'une tranche de brioche et d'une poignée de cerises juste cueillies, dont elle cracherait les noyaux dans l'herbe avec l'espoir qu'y pousse un arbre. Elle suspendrait à ses oreilles les paires de bigarreaux les plus brillantes, parures gourmandes que ses incisives mordraient ensuite avec précaution, pour le plaisir d'entendre la peau craquer sous la dent et de sentir le jus sucré couler au fond de sa gorge. À dix ans, elle savait déjà raffiner ses plaisirs.

Perchée sur le muret du jardin, elle raconterait à sa mère les péripéties de sa journée, et Madeleine lui répéterait comme chaque jour, semblant ignorer les propos de l'enfant :

« Ne cogne pas tes chaussures contre le mur, tu vas les abîmer. »

Brusquement, le téléphone avait sonné. Madeleine s'était levée à regret en se demandant qui pouvait bien la déranger en plein après-midi. Pieds nus sur le carrelage, elle avait frissonné en retrouvant la fraîcheur de la maison. Au bout du fil, une voix virilement émue s'était enquise :

« Madame Vasseur ? Ici la gendarmerie de Saintes... »

Elle avait tout de suite compris, depuis le temps qu'elle imaginait cet instant pour le conjurer et l'empêcher à jamais de se produire. Les mots du gendarme la traversaient de part en part sans arriver à prendre une consistance :

« Au carrefour de la D18 et de la D124, près de Savinien. C'est une camionnette qui l'a percuté... Refus de priorité. »

Le gendarme s'efforçait maladroitement de ne prononcer aucun mot fatal :

« On lui a donné les premiers soins dans l'ambulance. Votre mari a été transporté à l'hôpital de... », mais Madeleine traduisit immédiatement : « Pierre est mort, Pierre s'est tué en voiture ! »

Elle avait raccroché, hagarde, et continué à répéter : « Pierre est mort, Pierre s'est tué en voiture ! » comme pour banaliser ces phrases ou en avoir moins peur, mais son corps tout entier refusait la réalité, crispé sur la folle espérance qu'on s'était trompé, qu'elle allait recevoir un nouveau coup de fil qui annulerait celui-ci ou qu'elle allait peut-être se réveiller, tout simplement, comme elle s'était réveillée tant de fois trempée de sueur, après le même cauchemar. Elle murmura plusieurs fois : « Non, non, ce n'est pas possible », avec au creux du ventre la douleur terrible de l'impuissance.

Sur la terrasse, la lumière vive la fit éternuer. Elle se pencha machinalement et ramassa les lunettes de soleil abandonnées sur le transat. Le tracteur de Bérard, le fermier voisin, suivait le dixième sillon de son champ avec la même régularité que les neuf premiers. La vigne vierge encore verte bruissait sous les assauts des abeilles et des guêpes. À hauteur du muret brûlant, l'air surchauffé tremblait, faisant onduler le paysage comme à travers un verre déformant. Un chien lointain aboya au passage d'un vélo dont Madeleine perçut le crissement des roues sur le gravier du chemin.

Somme toute, l'irruption du malheur n'avait pas changé grand-chose à la vie. Madeleine en fut suffoquée. Elle aurait trouvé normal qu'éclatât un cataclysme sur le village, que les habitants fussent instantanément figés dans des poses inabouties, Pompéiens des temps modernes, pour signifier au monde que la mort de Pierre était scandaleuse, injuste, inacceptable. Elle constata avec amertume que la Terre tournait exactement comme d'habitude, excepté pour elle et lui. À cet instant elle aurait tout donné pour remonter le temps, revenir avant le coup de téléphone du gendarme, avant le coup de frein désespéré de Pierre, avant le carrefour où cette maudite camionnette avait perdu tout contrôle d'elle-même. Pour revenir à ce matin où il était parti en l'embrassant :

« À ce soir, mon amour, je vais essayer de ne pas rentrer trop tard. »

Elle gardait dans l'oreille le son exact de sa voix, et en mémoire le baiser léger qu'il lui avait envoyé du bout des doigts avant de démarrer.

« Maman, maman ! J'ai eu 10 en récitation ! »

Marine entra en trombe dans le séjour, surexcitée par la nouvelle pourtant banale. Elle était toujours première en français. Elle se figea brusquement en apercevant sa mère.

« Qu'est-ce que t'as, maman ? T'as plein de larmes dans les yeux. »

Madeleine s'accroupit à hauteur de sa fille, serra ses deux mains dans les siennes.

« Ma chérie, ton papa est à l'hôpital, il a eu un accident avec sa voiture.

— C'n'est pas vrai ! Le pauvre ! Eh bien je goûterai plus tard. Je fais pipi et on va tout de suite le voir. »

La petite interrompit son élan en remarquant la pâleur de Madeleine. Elle balbutia :

« Maman... ne me dis pas qu'il est... »

Madeleine acquiesça de la tête. Ni l'une ni l'autre ne pouvaient prononcer le mot. Marine se tut. Ses yeux s'étaient écarquillés, si fixes, si longtemps, que Madeleine craignit une crise nerveuse ou une syncope. La petite fille se jeta en pleurs dans les bras de sa mère, la serrant à l'étouffer, puis elle se mit à grelotter sans qu'aucune couverture parvienne à la réchauffer en ce torride mois d'août.

Le soir, Madeleine la prit avec elle dans son lit, autant pour rassurer l'enfant que pour sentir elle-même une présence, avant d'affronter tant et tant de nuits solitaires.

Le lendemain, Marine avait séché ses larmes. Elle joua à la marelle sur la terrasse, demanda à sa mère la permission d'aller à la piscine avec une copine et revint en fin d'après-midi, presque détendue. Madeleine découvrit le formidable ressort des enfants, capables de jouer dehors avec 39° de fièvre et de rire au lendemain d'un deuil. Elle songea cependant que le chagrin enfoui pourrait ressurgir n'importe quand dans la vie de sa fille et pria le ciel qu'il n'y fît point trop de dégâts. Dix ans, c'était très jeune pour commencer à sédimenter de si fortes douleurs.

L'enterrement eut lieu trois jours plus tard. En été, ces choses-là se décident vite. Madeleine assista à la célébration sans la comprendre ni arriver à se sentir concernée. Elle fixait les jambes bronzées de ses amies venues la soutenir, regardait sa propre peau et trouvait qu'il était incongru d'arborer un teint aussi doré pour un enterrement. Du coup, la cérémonie lui semblait un mauvais scénario dont elle ne pouvait en aucun cas être l'auteur, ni l'actrice. Elle contemplait le cercueil, imaginait son mari allongé dedans, immobile, et bien qu'elle l'eût regardé jusqu'au bout lors de la mise en bière, elle n'arrivait toujours pas y croire. De temps à autre lui remontait aux lèvres la lancinante phrase : « Pierre est mort », et elle sentait les larmes affluer avec un goût de nausée.

« Pleure pas, maman, pleure pas, implorait Marine, ça me rend triste. »

Madeleine eut presque un sourire à cet égoïsme enfantin. Elle tenait la main de Marine dans la sienne, tandis que la fillette observait le cercueil porté par quatre jeunes gens aux mines compassées, avec la curiosité de l'enfant qui découvre des rites dont on ne lui a jamais parlé. Elle suivait la mise en terre avec une concentration extrême qui lui permettait sans doute de ne pas se projeter dans les jours d'après. Ce n'est qu'après le dernier coup de pelle, quand les fossoyeurs en ahanant remirent la dalle de granit sur la tombe et la scellèrent, après qu'ils eurent essuyé les traces de mortier frais aux jointures qu'elle questionna mélancoliquement :

« Alors ça y est, c'est fini ? On ne reverra plus jamais papa ? »

Madeleine vécut une semaine terrible où il lui sembla que jamais ses larmes n'arriveraient à se tarir. Les premiers jours elle refusa le présent comme l'avenir et ne cessait de s'écorcher le cœur avec un douloureux compte à rebours :

« Il y a trois jours il vivait encore, il y a cinq jours il vivait encore... »

Quand elle dépassa la semaine, elle s'aperçut qu'elle avait réussi à vivre sept jours sans lui. Elle pensa : « Le deuxième mardi qu'il ne voit pas » et pleura de nouveau. Mais quand elle arrivait à ne pas évoquer Pierre, elle ne pleurait déjà plus.

Fin août, elle se surprit à ressentir un délicieux bien-être en ouvrant ses volets sur la tiédeur matinale embaumée du parfum des roses, magnifiques cette année-là. La voisine frappa à la porte :

« Madame Vasseur ? J'ai confectionné deux tartes aux framboises, je vous en apporte une pour vous et la petite. »

Madeleine fit entrer la jeune femme et la remercia. Elles burent une tasse de café en bavardant. Les moissons avaient été bonnes, en septembre le fils aîné de la voisine partirait en apprentissage au bourg voisin :

« Il va faire cuisinier, c'est un bon métier où on trouve toujours du boulot. »

Madeleine acquiesça.

« Vous qui travaillez au lycée, reprit la voisine, vous pourriez des fois emmener ma fille à ses cours ? Parce que je n'ai pas toujours la voiture et le car de ramassage passe tellement tôt... »

Bien sûr, Madeleine pourrait. La fillette entrait en cinquième, enfant douée de la famille qu'on pousserait aux études le plus longtemps possible pour en faire une institutrice, ou peut-être mieux encore.

« La vôtre aussi marche bien, nous avons de la chance », conclut la voisine avant de s'en aller.

Madeleine resta songeuse : de la chance, après ce qui venait de lui arriver ? Une mésange se posa dans l'embrasure de la fenêtre ouverte. Enhardie par l'immobilité de la jeune femme, elle s'aventura jusque sur la table où elle picora des miettes de biscuit. Madeleine la regarda sautiller, pas sauvage du tout, puis repartir par où elle était venue :

« Oui, se dit-elle, j'ai de la chance de voir cela. »

Comme tout le monde elle continua à vivre et s'aperçut qu'elle aimait cela. Au début, elle éprouvait une sorte de culpabilité à être heureuse sans Pierre, mêlée d'un certain soulagement en sentant se déverrouiller les mécanismes sensitifs bloqués depuis l'horrible après-midi. Elle rencontra de nouveaux amis qui lui firent découvrir les joies de l'archéologie amateur. Un an après la mort de Pierre, elle partit camper sur un chantier de fouilles, tandis que Marine faisait un stage de poney dans le Périgord.

Une nuit étoilée, elle prit son duvet, sortit de la tente et décida de dormir dehors pour guetter les étoiles filantes. Johanna Fritsch, sa compagne de fouilles, s'installa à côté d'elle. Madeleine et la jeune Allemande discutèrent une bonne partie de la nuit. Madeleine lui raconta Pierre et sa vie d'avant.

« Tu étais une dame alors ? remarqua Johanna. C'est drôle, je n'aurais jamais pensé que tu avais été mariée, tu n'as pas l'air du tout... Il était comment, ton mari ? »

Madeleine retourna à la tente, fouilla dans son sac à dos et revint avec une petite photo.

« À gauche, c'est un cousin, au milieu, c'est Pierre...

— Un beau mec, ton mari, dis donc ! Et à droite, c'est toi ?

— Ben oui, c'est moi. »

La jeune Allemande examina la photo, puis Madeleine, puis à nouveau la photo qu'elle rendit à son amie en souriant :

« Tu as changé. Sur la photo, tu as l'air mariée. »

Madeleine lui raconta sa rencontre avec Pierre en première année de fac, leurs études communes, leur mariage... Pour la première fois, cette évocation fit naître en elle, au lieu du serrement de cœur habituel, une vraie sérénité. Elle sentit qu'elle pourrait enfin parler de son père à Marine sans crainte de se mettre à pleurer, et faire renaître des images qui donneraient au disparu comme une vie nouvelle. Elle cessa de considérer sa vie d'avant et celle d'après comme deux périodes opposées dont l'une aurait été ennemie de l'autre et commença à parler de l'une et de l'autre avec naturel, renouant avec la continuité du temps qu'avait rompu le deuil.

Trois ans après l'accident, Madeleine redécouvrit le plaisir dans les bras de Marc et s'aperçut que son corps n'en avait rien oublié.

11

La fumée saisit Marine à la gorge dès l'entrée. Un chapiteau de toile crème en forme de large tunnel occupait une bonne partie du trottoir. Il menait à la salle de réception violemment éclairée où les musiciens de l'orchestre tentaient d'accorder leurs violons dans le brouhaha, tirant de leurs instruments des accents furieux de matous en rut. Alignées derrière deux longues tables à l'entrée du chapiteau, des hôtesses affublaient chaque invité d'un badge à son nom sur présentation du carton d'invitation, sésame absolu du lieu.

« Un sésame bien facile à obtenir », songea Marine, puisqu'elle-même fut admise à la fête en déclinant simplement le nom de Marc. Elle reçut en retour une hideuse figurine en plastique et une brochure qu'elle déposa en douce sur le premier guéridon venu sans même y jeter un coup d'œil. Autour d'elle, les invités affichaient le mélange d'élégance et de désinvolture qui sied à ceux dont la réussite n'a pas besoin de signes extérieurs trop voyants. Cet hiver comme les précédents, le noir gardait la vedette : jupes courtes ou longues, tailleurs et spencers avaient tous adopté le même air de deuil mondain, ce noir poudré du taffetas et des étoffes de luxe, qui transformait les réceptions parisiennes en réjouissance funèbre. Les femmes exhibaient un teint doré mais non hâlé, excepté une jeune fille aux longs cheveux noirs dont la peau caramel – vacances au Sénégal, lampe à ultraviolets haute pression ? – paraissait tout à coup vulgaire et pour tout dire bien démodée. Elle n'en arpentait pas moins la salle avec assurance en jetant sur l'assemblée des regards de reine choisissant les sujets qu'elle daignerait guérir de leurs écrouelles.

Marine chercha Marc des yeux sans le trouver. Elle resta deux minutes plantée au milieu de la salle avec l'impression de débarquer sur une planète sauvage et une forte envie de fuir, quand deux mains fraîches se plaquèrent sur ses paupières :

« Coucou, c'est moi ! »

Marc la fit pivoter, l'embrassa sur les deux joues :

« Bonsoir, Marine, pardon pour le retard. J'ai eu un client impossible en fin d'après-midi. Deux heures pour m'expliquer son affaire, d'une simplicité biblique. J'ai cru que je n'arriverais jamais à m'en débarrasser.

— Ce n'est pas grave, j'arrive à l'instant. »

Il la toisa de bas en haut, souriant :

« Tu n'as pas changé, Marinou ! Je t'ai repérée tout de suite.

— Merci, c'est gentil. Et toi, comment vas-tu ? Et Sarah ?

— Elle va très bien, je te remercie. Elle te fait plein de bises. Elle aurait bien aimé venir ce soir, mais elle est "charrette". »

Marc jeta son mégot à terre et l'écrasa avec sa semelle.

« Tu pourrais chercher un cendrier ! » fulmina Marine.

Il sourit, déposa un gentil baiser sur la tempe de son amie :

« Toujours écolo, ma petite Marine ? Mais regarde : s'il n'y a pas déjà trois tonnes de détritus sur le parquet, je veux bien être pendu.

— Ce n'est pas une raison ! Toujours excuser son ignominie par celle des autres, c'est comme ça qu'on fait le nid des dictatures.

— Bravo, tu commences très fort ! Puis-je humblement te faire remarquer que les mégots que je jette sont ramassés par de pauvres travailleurs immigrés qui se retrouveraient chômeurs s'il n'existait pas des pollueurs de mon genre ? La pollution est créatrice d'emplois, comme les accidents de la route et les cancers. Le malheur et les frustrations contribuent davantage à la croissance économique que le bonheur. Si tu refuses cette réalité, tu n'as rien compris au monde moderne.

— Moralité ? »

Marc haussa les épaules, soudain grave :

« Il n'y en a pas. Tu sais bien qu'il n'y en a plus depuis longtemps. »

Il la contempla en souriant, déposa à nouveau un baiser sur sa joue :

« Je suis vraiment heureux de te voir, depuis le temps... Comment va Madeleine ?

— Très bien, je l'ai appelée récemment. Il paraît que vous allez partir au Groenland cette année, Sarah et toi ?

— Oui... Enfin, c'est un projet. Rien de sûr encore. »

Marine regarda Marc, surprise. Ce ton embarrassé ne lui ressemblait pas. Elle se demanda s'il lui cachait quelque chose puis trouva son inquiétude stupide. Marc n'avait aucun compte à lui rendre. Peut-être était-il simplement étonné qu'elle ait parlé de lui avec sa mère. Il n'avait jamais su ce qu'elle pensait de leur liaison. Pas grand-chose en fait. Pour Marine, à l'époque, Madeleine et Marc appartenaient à un monde lointain, entre Neandertal et Cro-Magnon, dont il ne lui venait pas à l'idée qu'elle pourrait faire partie un jour. Leur histoire n'était qu'une histoire d'amour paléolithique, sans commune mesure avec ses premiers émois d'adolescente. Quand Marine avait réalisé, quelques années plus tard, que Marc se situait à égale distance d'âge entre elle et sa mère et qu'il était diablement séduisant, Madeleine et lui avaient déjà mis fin à leur relation amoureuse.

Marc prit Marine par les épaules et la guida vers le buffet où se pressait une foule éclectique. Un malheureux barman ne cessait de déposer sur un plateau des flûtes pleines de champagne qu'il se faisait aussitôt subtiliser par des mains anonymes. Son collègue préposé au débouchage des magnums peinait à suivre le rythme. Devant Marc et Marine, une jeune femme squelettique squattait le plateau de canapés au saumon avec une efficacité qui forçait l'admiration, attaquant méthodiquement les rangées l'une après l'autre sans même prendre le temps de boire entre deux bouchées.

« Elle va s'étouffer, ce n'est pas possible autrement, murmura Marc à l'oreille de Marine.

— Je me demande ce qu'elle en fait, elle est maigre comme un clou, répondit Marine sur le même ton. Si elle se met à boire, elle va gonfler telle l'éponge et exploser jusqu'au lustre, ce sera dantesque ! J'aimerais bien qu'elle nous en laisse un ou deux tout de même.

— Bouge pas, je vais lui faire le coup de la grue-pelleteuse : je passe de l'autre côté du plateau, je lève le bras, je replie la main en grappin, les doigts bien recourbés et hop ! J'empile quatre canapés d'un coup. »

Ainsi fut fait, sous le regard médusé de la fausse anorexique.

« J'ai admiré votre vélocité, susurra Marc avec un exquis sourire. Moi, c'est la technique bulldozer, moins fluide que la vôtre, sans doute, mais très efficace. Bon appétit mademoiselle, et bonne soirée ! »

Il tendit deux canapés à Marine qui s'étouffait presque de rire :

« Tu ne changeras jamais, Marc ! »

Brutalement, la phrase lui vrilla le cœur. Elle se demanda si réellement Marc ne changerait jamais, ou si sa phrase ne comportait pas un point d'interrogation, comme la supplique de la petite fille qu'elle avait été à son ami de toujours : « Promis, Marc, jure-moi que tu ne changeras jamais. »

Son rire se figea, elle resta muette, verre à la main, une buée froide dans le regard.

« Que se passe-t-il, Marine, ça ne va pas ? »

La voix de Marc lui parvint à travers un cotonneux brouillard. Elle s'ébroua, se donna une tape légère sur la joue de peur de perdre connaissance.

« Je ne sais pas, j'ai eu comme un vertige. Un peu de fatigue sans doute. Ça va aller, ne t'inquiète pas. »

Elle sourit et but cul sec une coupe de champagne qui lui emplit la tête de bulles dorées. Remède efficace. Cinq minutes plus tard, Marine riait aux éclats. Marc lui présenta plusieurs amis forcément ravis de faire sa connaissance, comme on l'est toujours dans ce type de réception.

« À propos, que fête-t-on ? demanda Marine.

— Le lancement d'un concept d'assurance vie.

— Sans blague ? Vous êtes sérieux ?

— Tout ce qu'il y a de sérieux, il paraît que c'est l'investissement de l'avenir. On va progressivement passer d'une retraite par répartition à une retraite par capitalisation. Les fonds de pension vont révolutionner la vie de millions de ménages et rapporter un paquet de milliards aux zinzins.

— Aux zinzins ?

— Les investisseurs institutionnels.

— Tout de même, murmura Marine, c'est bizarre de boire à la santé d'une assurance vie...

— Vous savez, ironisa un médecin invité là par on ne sait quel caprice de mailing, j'ai eu cette semaine un petit déjeuner "Problèmes urinaires des personnes âgées" et un somptueux buffet en l'honneur de "La prévention des affections hivernales chez les tout-petits". Et vous, cher maître ? »

Marc réfléchit :

« Un simple plateau-repas pour le débat sur la fiscalité des frais professionnels, mais une belle réception suivie d'une invitation à une première théâtrale pour “Le nouveau visage des notaires”. »

Tous s'esclaffèrent. Ils vivaient une époque formidable de luxe et d'insouciance, de quoi rester éternellement jeune et viril. Une main fit circuler des comprimés censés procurer des sensations extraordinaires, surtout si on les mêlait à de l'alcool.

« N'en prends pas, murmura Marc à l'oreille de Marine. J'ai essayé, c'est violent. Tu montes très haut mais à l'atterrissage j'avais envie de me flinguer, j'ai eu très peur.

— T'es complètement fou d'avaler des trucs pareils. Pourquoi ?

— Pour voir.

— Voir quoi ?

— Voir. »

Marc haussa les épaules :

« Tu es drôle, toi ! Comme si on pouvait tout expliquer. »

Il l'entraîna vers la piste où quelques couples évoluaient déjà sur un rythme chaloupé, tandis que la lumière s'atténuait peu à peu. Marine se serra contre Marc. Il était large d'épaules, presque trapu. Un roc que rien n'aurait dû entamer. Il dansait bien, avec l'aisance d'un homme sûr de son corps. Marine lui trouva une odeur de pain d'épices tiède qui lui fit monter l'eau à la bouche. Elle caressa l'idée qu'entre elle et lui peut-être... L'ambiguïté de leurs relations était évidente depuis des années. Marc l'avait connue bébé, quand lui-même entrait dans l'adolescence. Elle l'avait vu grandir, devenir un homme et séduire sa mère, puis savoir rester son meilleur ami et se faire, peu à peu, l'ami de la fille comme de la mère. Parcours sans faute dont elle lui était éperdument reconnaissante. Elle ferma les yeux pour mieux l'imaginer, amour léger de vacances, tendre nonchalance... Ses baisers auraient un goût de miel et il saurait la caresser longtemps, longtemps... Elle frissonna, il la regarda d'un air interrogateur.

« Non, rien, murmura-t-elle. Je pensais des choses inavouables à ton sujet.

— Inavouables, vraiment ? fit-il, amusé.

— Oh, si, avouables mais... je ne parlerai qu'en présence de mon avocat, scanda-t-elle d'une voix gutturale.

— Ça tombe bien, l'avocat, c'est moi.

— Eh bien, cher maître, je me demandais quel itinéraire emprunteraient vos mains sur ma peau si d'aventure nous étions seuls. »

Marc sourit :

« C'est une excellente question. Je suis prêt à t'en donner la réponse quand tu voudras. »

Le morceau s'achevait, la musique mourut dans un ultime et déchirant accord qui les fit se séparer, troublés. Marine retourna à pas lents vers le buffet, avala coup sur coup deux coupes de champagne. Elle commençait à être grise et s'en voulut de ne pas savoir effacer autrement le souvenir d'Antoine. Gomme-t-on le désir d'un homme par les caresses d'un autre ? Depuis le matin, chacun de ses gestes n'avait eu d'autre but que de la remettre dans la réalité, mais au fil des heures cette réalité lui semblait de moins en moins enviable. À quelques mètres d'elle, Marc bavardait avec un couple de vieillards cacochymes, illustration saisissante des résultats d'une assurance vie bien choisie. Marine observa le trio et ne trouva plus aucun charme à son ami. Il lui sembla massif, lourd. Un homme la saisit impérieusement par le bras :

« Venez danser. »

Elle se retrouva plaquée contre un inconnu puant la sueur et la convoitise qui la serrait si fort qu'elle en perdait l'équilibre, glissant sur des miettes crémeuses et des traînées liquides. Lui, pauvre imbécile, se disait que dans son état, cette femme ne lui échapperait pas, elle était à point. Marine ne distinguait pas ses traits dans la pénombre, mais elle était incommodée par ses cheveux gras et sa peau râpeuse qui abrasait la sienne. Sous ses pieds, le sol tanguait par un vent d'au moins force neuf. L'inconnu soudain se dédoubla, se quadrupla, puis devint une mosaïque de silhouettes agitées d'un mouvement stroboscopique. Il avait douze mains moites rivées à la peau de Marine, des tentacules avec des bruits de succion insupportables dès qu'il les bougeait.

L'homme se mit à respirer bruyamment, non comme un souffle de tempête ou de grand frais, mais comme un brûlant sirocco, aussi délétère que la musique était sirupeuse. Puis il se transforma en train de banlieue asthmatique imprégné de relents de tabac froid, tortillard laborieux pressé d'arriver au terminus de Plaisir-Grognon, cet homme ne pouvait pas être capable d'autre chose. Sentant Marine de plus en plus molle entre ses bras, il prenait sa fatigue pour de l'abandon, lui chuchotait des incongruités à l'oreille, posait des lèvres gluantes sur son épaule. Elle détourna précipitamment la tête pour ne plus sentir son souffle sur son cou et essuya son épaule d'un revers de main. Un sanglot salé coula dans sa gorge. Marine s'arracha des mains de l'homme, courut vers le buffet où il ne restait plus grand-chose et avala d'un trait un verre d'eau glacé. Elle chercha le vestiaire, réclama son manteau, son écharpe... Marc la rejoignit et l'aida à s'habiller sans un mot. Il comprenait les urgences.

« Tout le monde connaît et embrasse tout le monde et au bout du compte personne n'en a rien à foutre de personne. Chacun est seul, tu comprends ? Seul ! Moi, je ne peux pas, excuse-moi. C'est peut-être stupide mais je ne supporte pas ces jeux-là. »

Marine sortit à grands pas dans la nuit, pleine de fureur et tout vernis craquelé, tout sourire écrasé sous ses talons qui claquaient sur le trottoir glacé. Elle ne savait plus où elle était, à peine où elle allait, mais elle tourna sans hésiter, retrouva le chemin, arriva devant l'immeuble et pianota sans une fausse note.

12

« Vous saviez que j'allais venir ? chuchote-t-elle très bas.

— Non, pas du tout. »

Antoine a appuyé sur le bouton de l'interphone dès les premières notes. La porte s'est ouverte avec un bruit alibabesque et Mister Blount s'est chargé de la refermer avec un soupir de poussah dérangé dans sa sieste. Marine n'a pas pris l'ascenseur, incapable de l'attendre, et a escaladé les six étages sans respirer ou du moins sans y penser. La porte de l'appartement était entrouverte. Marine est entrée, a refermé doucement puis a rejoint le coin d'alcôve où l'attendait Antoine.

À présent ils sont là tous les deux. Lui allongé sur son lit, elle recroquevillée contre le matelas, une main posée sur celle d'Antoine qui ne referme pas ses doigts, ni ne la rejette. Ils n'ont pas allumé, le reflet d'un peu de lune projette des ombres inégales dans la chambre et la meuble d'objets légers comme des nuages. Marine reprend souffle progressivement. Elle ferme les yeux, épuisée de lassitude et d'alcool. Elle ne se souvient pas de quelle façon elle est arrivée là. Seules lui restent les images de sa fuite éperdue, la sensation de froid qui l'a saisie au sortir de la salle surchauffée et la buée qui envahissait ses yeux tandis qu'elle fonçait droit devant elle puis empruntait telle rue, tel carrefour, sans la moindre hésitation, pour finalement se retrouver devant la porte de l'immeuble, avec l'horrible crainte qu'Antoine fût sorti.

Mais il était là, et près de la fenêtre son lit fait l'attendait, la couverture tirée sans un pli, l'oreiller bien à sa place. Antoine n'a pas prononcé un mot. Il a juste souri en la voyant entrer, puis a refermé les yeux, formidablement paisible. Il respire d'un souffle régulier mais Marine est sûre qu'il ne dort pas. Elle promène les doigts sur sa peau, suit ses contours avec une précision de cartographe, émue par ce corps si tiède mais tendu d'une nervosité telle que peu à peu le voici saisi de tremblements aussi irrépressibles qu'un accès de paludisme. Marine ne comprend pas cette peur. Car Antoine a peur, elle dirait même qu'il est terrorisé si cela ne lui paraissait pas parfaitement inconcevable. D'une voix toute petite, enfantine, il murmure :

« Va dormir, Marine, va, ton lit est prêt. »

Dans sa détresse, il la tutoie, abolissant une distance pour en établir une autre bien plus infranchissable. Elle retire sa main sans hâte, comme une vague reflue à regret sur la plage, ultime caresse volée à cette peau qui se refuse, avec le chagrin de ne pouvoir poser sa joue sur son ventre, y camper à jamais et le sentir se planter en elle, puis y rester des heures dans un sublime balancement qui les laisserait tous deux pantelants, grisés par un désir jamais totalement assouvi, jamais totalement achevé.

En silence, Marine rejoint le lit pliant et s'y allonge sans bruit en entortillant la couverture autour d'elle. Les yeux ouverts, elle fixe le plafond sans trouver la moindre réponse à ses questions. Antoine l'attendait, pourquoi ? Pourquoi a-t-il préparé son lit ? Pourquoi l'a-t-il accueillie tout contre lui pour lui demander ensuite de s'éloigner ? Pourquoi ce tremblement, de quoi a-t-il peur ? Face à ces interrogations, elle ne souhaite rien d'autre à cet instant qu'un peu d'attention et quelques mots qui lui prouveraient qu'elle a eu raison de le rejoindre.

Une larme s'échappe, coule sur l'oreiller, une larme indépendante surgie sans qu'elle l'ait prévu, suivie d'une autre plus poisseuse. Ces larmes contagieuses en attirent d'autres et Marine se met à pleurer à petits sanglots contenus qui lui creusent les reins et l'épuisent. Elle voudrait à cet instant son père, sa mère, Marc ou n'importe quel ami chaleureux, et déteste Antoine.

13

Un chuintement de cafetière exprimant ses dernières gouttes de café, un bruit de tasses entrechoquées... Immobile sous sa couverture, Marine se laisse envahir de sensations. C'est d'abord un parfum de terre mouillée, troublante odeur d'ozone des lendemains de pluie que la fenêtre accueille à battants ouverts, puis les arômes mouvants du café promené d'un bout de la pièce à l'autre, la fragrance des gestes d'Antoine, différente à chaque pas, tiédeur fruitée, effluves boisés qu'elle devine émaner de la peau de son cou ou de l'échancrure de sa chemise. Elle les savoure en secret, goûtant avec délectation ce plaisir volé que lui reprend Antoine :

« Tu ne dors pas, tricheuse, ouvre les yeux !

— Comment sais-tu que je ne dors pas ?

— Parce que tu viens de me répondre.

— Oui, mais avant, tu ne pouvais pas le savoir !

— Si, je pouvais, puisque tu allais me répondre, et de toute façon, poursuit-il avec une voix de gestapiste en 16 mm, j'aurais trouvé les moyens de te faire parler. »

Marine ouvre les yeux et sourit, surprise du plaisir qu'elle prend à le regarder tandis qu'il troque un tee-shirt blanc pour un autre à manches longues d'un doux gris bleu. Elle aperçoit furtivement la courbure de ses reins, duveteuse, suit le mouvement de ses muscles tandis que ses bras s'élèvent au-dessus de sa tête. *C'est un homme harmonieux,* se dit-elle, et dans ce terme elle englobe son regard qui l'émeut, les lignes de son corps et sa façon de se mouvoir, plus l'étrange certitude qu'elle est arrivée là où de tout temps elle devait être.

« Une légende raconte qu'il existe pour chaque être humain un lieu dans le monde où il peut se poser pour l'éternité, racontait sa mère à Marine quand elle était petite. Ce lieu magique se reconnaît au sentiment de plénitude qui vous étreint en le découvrant. »

Si c'était un être humain, ce lieu magique serait Antoine.

Le lieu magique s'accroupit près d'elle et lui sert le café dans une tasse de porcelaine translucide et chinoise décorée de grands oiseaux bleus. Marine saisit le croissant posé sur la soucoupe assortie et le fend sur toute la longueur. Un objet en tombe avec un cliquetis de bouton de culotte dans la sébile d'un aveugle. Marine le saisit entre deux doigts, découvre un angelot minuscule en plastique blanc.

« Qu'est-ce que c'est ?

— Une fève. Mais tu as triché, tu aurais dû dérouler le croissant peu à peu. »

Elle éclate de rire :

« Tu t'en es souvenu ?

— Ça date d'hier matin, je n'ai pas grand mérite.

— Tout de même... Tu me donnerais une autre tasse de café ?

— Bien sûr, fait-il en se levant, je vais en chercher une dans la cuisine.

— Mais non, je peux bien boire dans la même tasse.

— Tu as demandé "une autre tasse".

— Assieds-toi, chapelier fou, aujourd'hui est un jour sans anniversaire !

— Bravo, mademoiselle, s'exclame Antoine avec un enthousiasme de bonimenteur venant de fourguer dix paires de chaussettes à un cul-de-jatte, vous m'avez identifié en moins de trente secondes. Pour la peine, je t'offrirai ce soir un Brésil : lumières, folklore et mélancolie assurée.

— Mélancolie ?

— C'est la moins mauvaise traduction d'un mot brésilien qui s'écrit s-a-u-d-a-d-e et se prononce à peu près saodatch. Il exprime un mélange de joie et de tristesse que traduisent parfaitement les rythmes à cinq temps des sambas brésiliennes. La *saudade,* c'est par exemple le sentiment qui envahit l'âme d'un paysan contemplant sa maison emportée par le fleuve un jour de cyclone. Il est triste pour la maison, mais la fureur du torrent est si belle, la violence du vent si enivrante... »

Antoine se tait, comme s'il voyait la cabane ballottée par les remous. D'un geste, il efface l'image et se remet à grignoter son croissant. Marine l'observe, sûre à présent qu'elle a eu raison de revenir vers lui. Elle énonce pourtant d'une voix timide :

« Je ne peux pas rester ici toute la journée, j'ai des tas de choses à faire.

— Moi aussi ! rit-il. Je travaille, tu sais ! Aujourd'hui je dois faire le montage de la vitre pour le bar, puis j'ai rendez-vous pour un autre chantier. Pour la porte, tu connais la musique, tu reviens quand tu veux, à l'heure qui te plaît...

— D'accord, ça n'aura pas grande portée.

— Certes. Quoique entre nous, cela pourrait manquer de mesure.

— Bigre, tu m'en vois blanche comme deux noires !

— Tu soupires ?

— Pire : je tomberais bien en syncope... »

Ils éclatent d'un rire musicien. Marine se sent ragaillardie par ce ping-pong verbal, sport oublié depuis la fac, faute de partenaires. Elle retrouve ses plaisirs innocents.

« Je parie que tu as fait du piano quand tu étais enfant, lance-t-elle.

— Évidemment ! J'étais le portrait craché du petit Lord Fauntleroy. J'avais des boucles brunes jusqu'aux épaules et un costume de velours bleu avec un col de percale blanche. On devait mettre deux bottins sur le tabouret pour que j'atteigne le clavier ! Il paraît que j'étais doué mais ma vocation n'a pas excédé deux ou trois ans. J'ai préféré ensuite dessiner et peindre. Le matériel est plus facile à transporter, et j'aime bien le bruit du pinceau sur la toile et le verre.

— Excuse-moi de t'interrompre, Antoine. Avant que tu ne partes, puis-je téléphoner à ma mère ?

— Bien sûr, le téléphone est accroché au mur, près de la porte. »

La communication fut brève. Marine prévint Madeleine qu'elle serait sans doute difficile à joindre et lui dit de ne pas s'en inquiéter. Prudemment, elle ne donna aucune durée à cette parenthèse. Antoine sortit de la salle de bains au moment où elle raccrochait.

« Tu appelles souvent ta mère ?

— Souvent, non. C'est plutôt elle qui m'appelle. Et toi ? Tu appelles souvent la tienne ?

— Je n'en ai pas. »

Marine se tut, gênée comme on l'est toujours, presque fautif devant la mort inattendue des autres. Antoine devina son embarras et précisa :

« Je n'en ai pas mais elle n'est pas morte. Du moins je ne crois pas.

— Je ne comprends pas.

— Ma mère s'est envolée un soir d'automne. Le premier soir de l'automne pour être clair, et c'était d'ailleurs un soir très clair. Elle a disparu avec une robe de mousseline bleue que j'adorais et je ne les ai plus jamais revues. Ni elle, ni la robe.

— Quel âge avais-tu ?

— Sept ans. C'était le soir de mon anniversaire, le 22 septembre. Maman avait organisé une superbe fête, avec des torches qui éclairaient le jardin, des lampions dans les arbres, une foule de gâteaux et de sucreries. Elle avait invité tous mes cousins et cousines, une ribambelle de gosses. Après la fête je suis allé me coucher et au réveil, elle n'était plus là.

— Et jamais plus tu n'as eu de nouvelles ?

— Jamais. Jamais je n'ai rencontré quiconque ayant connu ma mère, même dans un passé lointain. À part mon père, bien sûr, mais il a toujours refusé d'en parler. Quand je lui demandais où était maman et si elle allait revenir bientôt, il m'interrompait d'une phrase très XIXe siècle : "Je vous en prie, Antoine, ne me parlez plus de cette créature." Longtemps je me suis demandé ce que voulait dire "créature", puis j'ai cessé de la réclamer. Pour moi, c'est simple : elle s'est envolée.

— C'est monstrueux ! s'indigna Marine. Une mère n'abandonne pas son enfant comme ça !

— Je sais, je l'ai entendu seriner toute mon enfance : c'est monstrueux ! Toute la famille, et Dieu sait qu'elle était nombreuse, s'est relayée pour prendre soin de moi et m'inculquer l'idée que cette histoire était monstrueuse. J'en ai été persuadé pendant des années, mais je n'en suis plus si sûr. N'aurait-il pas été tout aussi monstrueux qu'elle reste près de moi sans en avoir envie ?

— Tu crois qu'elle ne t'aimait pas ?

— Au contraire ! Je suis sûr qu'elle m'aimait. Je me souviens qu'elle me câlinait énormément et qu'elle me humait quand elle me portait dans ses bras comme une louve hume ses petits. Je me souviens du plaisir qu'elle prenait à me frotter dans mon bain, de ses gestes doux comme des caresses, de sa voix chantonnant des comptines un peu idiotes que j'adorais. Je me souviens qu'elle m'asseyait sur ses genoux pour me raconter des histoires qu'elle inventait rien que pour moi, et que tout en parlant, elle me caressait les cheveux. Ma mère communiquait avec ses doigts comme d'autres avec les mots. Nous avions des liens intenses mais fragiles, puisqu'ils se sont rompus. Il faut croire que l'amour tactile ne suffit pas. Il ne l'a pas empêchée de partir, il ne l'a pas incitée à revenir. Ce genre d'amour meurt sans doute de l'absence. Je suppose qu'une fois loin de ma peau elle a oublié jusqu'à mon existence. Longtemps j'ai fait des cauchemars : je rêvais que mon père l'assassinait et qu'elle essayait de s'enfuir. Il la frappait à coups de couteau, la lame s'enfonçait dans sa chair mais aucun sang ne coulait... Des tas de médecins ont essayé de l'effacer de ma mémoire avec des cachets que j'enterrais dans les pots de fleurs dès qu'ils avaient le dos tourné, et un casque qui diffusait dans mon crâne des sons bizarres, comme des musiques à l'envers. C'était désagréable. J'avais l'impression qu'une bonde s'ouvrait dans mon cerveau et le vidait. Mais je ne l'ai jamais oubliée... »

Marine est debout près du téléphone, Antoine à moins d'un mètre d'elle. Elle a envie de lui tendre la main, de l'attirer vers elle, mais le mètre s'étire soudain sur plus de dix mille kilomètres et elle a beau vouloir traverser, traverser, c'est une distance bien trop longue pour elle et trop lourde pour lui.

14

La mère d'Antoine attendit longtemps après les douze coups de minuit. Le dîner qui avait prolongé le goûter d'anniversaire s'était étiré jusqu'à près de 23 heures, malgré la fatigue des convives rescapés des agapes de l'après-midi, gavés à n'en plus pouvoir de gâteaux et de sucreries et épuisés d'avoir dû, des heures durant, échanger des propos familiaux tout en jetant un coup d'œil sur leurs rejetons déchaînés.

Ségolène avait déchiré sa robe neuve en grimpant à un arbre et suscité comme chaque année le même commentaire, mi-fier mi-pincé de sa mère : « Quel garçon manqué, celle-ci ! » Les cousins Pierre et Nicolas avaient mis en commun leurs six ans belliqueux pour décapiter méthodiquement une rangée de roses anciennes dont les pétales gisaient à présent au sol, écrasés par les poursuites frénétiques d'une partie de « gendarmes et voleurs ». Les grands-mères s'étaient extasiées devant le dernier-né de la portée dont les joues poisseuses et le nez froissé ne justifiaient pas une telle ferveur et Claire, l'aînée de cette génération, traînait sa morosité adolescente à l'écart, dans une allée. La mère d'Antoine l'y avait croisée. Elles avaient échangé un regard de connivence. Elle aussi s'était ennuyée lorsqu'elle avait quinze ans dans ces réjouissances inévitables. À l'époque, elle s'était juré de ne jamais s'y plier quand elle serait grande et libre de ses choix, et voici qu'elle se retrouvait à trente-cinq ans maîtresse de cérémonie de fêtes identiques dont chacun, plus tard, effeuillerait l'album de photos en soupirant : « Qu'est-ce qu'on avait ri, te souviens-tu ? » en oubliant la sauce figée dans les assiettes que nul n'avait évidemment songé à photographier et la somnolence qui suivait ces repas interminables et trop copieux.

« Regarde, cette pauvre tante Solange, dirait immanquablement un oncle plus âgé que la disparue, quatre ans déjà qu'elle nous a quittés. Qui aurait cru qu'elle partirait avant moi ? »

L'album, peu à pcu, deviendrait musée des morts, objet de ralliement des rescapés, souvenir sacré dont nul n'aurait le droit d'altérer le mythe en insinuant qu'il y a parfois mortel ennui entre gens dont le seul partage est un lointain patronyme commun.

La mère d'Antoine se leva avec précaution pour ne pas faire grincer le lit conjugal et gagna la salle de bains attenante à la chambre où elle s'enferma. Elle pouvait allumer la lumière à présent sans risque d'éveiller Arnold. Ellc s'examina dans la glace au-dessus du lavabo, découvrit un affaissement presque imperceptible au coin de sa lèvre supérieure.

« Trace d'amertume », sourit-elle, et son sourire effaça le défaut.

Elle se regarda bien en face : « C'est aujourd'hui ? » Oui, ce serait aujourd'hui. Ou jamais. Elle avait atteint le point de non-retour où il ne suffit plus de caresser un rêve de fuite pour arriver à vivre. Elle s'imagina pauvre, marchande de beignets sur une plage brésilienne. Elle aurait les pieds nus, une seule robe de coton à carreaux de couleurs voyantes, des mèches de cheveux embrouillées par le vent et collées par le sucre qui volerait autour d'elle, une odeur de friture implacable sur sa peau et à peine l'assurance de gagner de quoi survivre jusqu'au lendemain.

Elle s'imagina dans la chambre d'hôtel sinistre d'une métropole pluvieuse, compulsant les petites annonces pour trouver du travail et acceptant finalement un emploi de femme de charge dans une buanderie de palace pour milliardaires. Elle pousserait les chariots débordants de linge sale et verrait les ébats des clients essorés sans pitié dans un tambour de machine à laver industrielle. Les amours d'hôtel ne laissent guère de traces, mais elle savait qu'elle rêverait parfois, sur un seul cheveu aperçu au milieu de la mousse, qu'un homme et une femme avaient sur ces draps anonymes échangé passionnément une part de leur vérité.

Aucune de ces images ne lui faisait peur. Elle pouvait tout aussi bien s'imaginer riche et adulée, célèbre, insouciante. Elle séduirait un armateur croisé sur une plage grecque qui l'emmènerait sur son yacht au milieu d'autres beautés. Elle écrirait son histoire et se verrait proposer un pont d'or pour une adaptation au cinéma de sa biographie qui serait tournée partout à travers le monde, car bien sûr elle aurait passé des années à bourlinguer sous toutes les latitudes. À son âge, rien n'était joué. L'important était de pouvoir devenir autre et multiple. D'oser explorer d'autres facettes d'elle.

Elle s'habilla sans bruit, sortit de la salle de bains par la porte qui menait au couloir et marcha pieds nus sur la moquette jusqu'à la chambre d'Antoine. Elle saisit la poignée de la porte et l'abaissa d'un geste ferme pour l'empêcher de grincer.

Dans la chambre, les rideaux tirés laissaient filtrer un peu de lumière dont elle n'avait d'ailleurs nul besoin. Elle avait la nuit une acuité visuelle de chat. Antoine respirait doucement, ses boucles brunes éparses sur l'oreiller. Son souffle était si ténu qu'il n'aurait pas fait frémir un pétale de rose. Sa mère se pencha, s'assura que sa poitrine se soulevait régulièrement. Il était d'une beauté à fendre l'âme. Elle se souvint brusquement des dizaines de nuits passées à guetter le souffle de l'enfant les premiers mois, et son soulagement lorsqu'il avait atteint l'âge où tout danger de mort subite est en principe écarté. Elle se rappela son émerveillement devant les sourires ensommeillés des premiers jours qui ne s'adressaient à personne. Elle en était sûre, Antoine souriait au souvenir de sa vie d'avant, de leur fusion intra-utérine lorsqu'il n'était encore qu'une promesse de vie entre deux eaux.

Les paupières de l'enfant n'étaient pas tout à fait closes. On lui voyait un peu le blanc des yeux et elle sut, au mouvement rapide de ses globes oculaires, qu'il était en train de rêver. À cet instant, la mère d'Antoine aurait donné n'importe quoi pour emmener son fils. Elle résista au désir d'effleurer sa peau et de le serrer une dernière fois contre elle. Il lui arrivait souvent de venir l'étreindre dans son sommeil sans qu'il se réveillât, elle y puisait une force qui l'étonnait elle-même. Mais ce soir-là, elle savait qu'elle ne devait à aucun prix le toucher. Elle n'emporterait pas même une photo de lui. Il lui fallait casser le fil. À cette pensée, ses yeux s'emplirent de larmes. Elle se releva précipitamment et sortit de la chambre très vite, comme quelqu'un qui court un danger mortel, tirant la porte sans appuyer sur le loquet, pour ne faire aucun bruit.

Dans le couloir, elle dut s'appuyer quelques secondes au mur, prise d'un vertige qui la vidait de toute énergie. Son cœur battait si fort qu'il en devenait douloureux. Juguler cette émotion, vite, en respirant profondément. Elle descendit l'escalier marche à marche sans se presser, en essayant de se concentrer uniquement sur le mouvement de ses pieds. Arrivée en bas, elle se sentit nettement mieux, presque légère.

« C'est donc cela, se dit-elle, le fameux amour maternel qui s'apaise en trois inspirations et dix-huit marches d'escalier... »

Elle enfila ses chaussures et son manteau. Il ne lui restait plus qu'à prendre la sacoche préparée depuis des semaines et cachée dans un placard : ses papiers, de l'argent, quelques objets de toilette et un peu de linge personnel. Elle en sortit une enveloppe blanche et longue qu'elle déposa bien en vue sur le bureau d'Arnold. Il ne comprendrait pas, bien sûr, mais après douze ans de vie commune elle ne pouvait se résoudre à disparaître sans un mot, sans lui dire les sentiments qu'elle éprouvait toujours pour lui. Elle pensa qu'il allait la détester, et elle continuer à l'aimer. Curieux paradoxe.

Dehors, la nuit était froide comme une étoile bleue. La brume enveloppant la cime des arbres les décapitait, épargnant leurs troncs qui se détachaient, noirs et nets, le long de la grande allée du jardin. La mère d'Antoine marchait vite à présent. Ses pas sur la terre humide laissaient une empreinte légère qui s'estompait aussitôt. Petite, elle adorait marcher pieds nus sur les plages mouillées, pour le plaisir de regarder ses orteils pousser l'eau à travers le sable. En se retournant tout de suite après, elle ne voyait de son passage que des traces indéfinissables qui auraient pu tout aussi bien être des pas de chat ou l'aspiration d'un tourbillon salé par une moule égarée.

Elle n'eut pas un regard pour sa maison en refermant la grille. La gare ouvrirait dans une demi-heure, le premier train pour Paris devait démarrer dix minutes après. Elle marchait à pas rapides sur le goudron et écoutait ses talons claquer dans le silence du village endormi. De temps à autre, son ombre glissait au sol et s'étirait loin devant elle. Elle s'étonna du sentiment de liberté qui l'envahit soudain comme une jubilation. Il y avait des années qu'elle ne s'était pas aventurée seule sur une route déserte à 5 heures du matin. Que serait-elle allée y faire ? On l'aurait prise pour une folle ou une inconsciente, les routes sont dangereuses la nuit pour les jeunes femmes. À vrai dire, elle n'en avait eu ni l'occasion, ni le désir, ni même l'idée. Durant douze ans, elle avait mené une vie lumineuse, sans un regard pour ses zones d'ombre. Elle s'était appliquée à domestiquer ses pulsions, à enfouir ses secrets. Sans doute avec un certain talent puisqu'elle-même avait failli les oublier.

La mère d'Antoine regarda sa montre. Dans moins de trois heures, elle se retrouverait seule dans la capitale. Elle ne se demanda pas de quoi serait fait son lendemain. C'est précisément pour ne plus avoir de réponse à cette question qu'elle partait.

15

« En raison d'un mouvement social, les stations Bastille, République et Porte d'Italie sont fermées au public sur ordre de la préfecture de Police, mais les correspondances restent assurées. »

La voix monocorde scandait l'annonce à intervalles réguliers, suscitant des réactions acerbes des voyageurs. Marine sortit du wagon et regarda autour d'elle, hésitante : bus, correspondance ou marche ? Elle opta pour un séjour à l'air libre et monta l'escalier, bousculée par une foule mécontente et lasse. Ce mois de décembre 1986 était celui de toutes les revendications. Après les lycéens s'opposant à la loi Devaquet, les cheminots, puis les enseignants, puis les infirmières et les personnels de santé défilaient. Bientôt, selon la plupart des analystes, toute la fonction publique serait dans la rue et le mouvement pourrait contaminer le privé. Le pouvoir appréhendait une grève générale qui n'arrangerait pas la situation économique...

Cinq ans auparavant, ces remous emplissaient Marine d'une exaltation toute particulière. Elle qui détestait la foule aimait celle, glorieuse, des manifestations. Elle voyait des lumières dans les regards, et dans les sourires échangés, l'espoir que la vie ne soit pas écrite une fois pour toutes et qu'il reste au plus modeste employé aux écritures de la plus obscure officine un peu de pouvoir sur sa propre existence. Elle se souvenait de la confidence d'un ouvrier, tandis qu'elle défilait à côté de lui, l'aidant à porter une banderole entraînée par la bourrasque :

« Augmenter les salaires, tu vois, c'est pas seulement une question d'argent, c'est aussi la possibilité de plus être obligé de faire des heures sup, d'avoir enfin un peu de temps à soi. Tu vois, petite, j'ai cinquante et un ans, ça fait trente-quatre ans que je bosse, et jamais, tu entends, jamais je n'ai choisi mes dates de vacances sans qu'on me les change au dernier moment. C'est comme si ma vie ne m'appartenait pas. Comme si j'existais moins que ceux qui décident mes dates. Putain, on est tous des hommes, non ? C'est pour ça qu'il faut se battre. Pour rester des hommes. »

Marine y avait tant cru qu'elle avait même milité, en réaction à la question scandalisée d'un camarade syndiqué, un lointain 1er mai :

« Comment, tu ne milites pas ? »

Non, à vingt ans elle ne militait pas, elle faisait ses études. Le camarade syndiqué lui avait longuement expliqué combien était exaltante et nécessaire la conquête du pouvoir qui leur permettrait de réaliser le monde plus juste et fraternel dont tous rêvaient. Marine avait donc milité trois ans, le temps de distribuer un nombre appréciable de tracts le dimanche matin sur les marchés, de prendre la parole lors de divers meetings et d'user des nuits blanches à construire un projet de société en compagnie d'autres militants dont pour un véritablement altruiste, quatre venaient chercher dans ces réunions une échappatoire à leur mal de vivre ou un tremplin à leur ambition. Marine admirait la dialectique serrée de certains, capables de prouver tout et son contraire avec la même conviction, et prenait un vif plaisir à démonter un à un leurs arguments. Ils avaient des travers d'intellos que leur reprochaient d'autres militants déjà installés dans la vie, pour qui la lutte se devait d'être concrète, c'est-à-dire monnayable en espèces. Pour ceux-là, le monde meilleur avait un prix, calculé au centime près.

Au bout du compte, le pouvoir avait été conquis. Sublime victoire que Marine fêta largement dans les rues de Paris, avec le sentiment de vivre une mirifique page d'histoire. Le bonheur capable de creuser les reins avec presque autant d'intensité que l'amour, elle le connut cette nuit-là, tandis que les gens s'interpellaient joyeusement aux carrefours et que les automobilistes klaxonnaient à tout-va en hurlant, comme à l'issue de n'importe quel match de foot : « On a gagné, on a gagné ! » Elle s'était retenue d'ajouter : « Les doigts dans le nez », la solennité historique n'aurait pas toléré de tels débordements, mais elle, Marine, se sentait tout simplement heureuse, avec une envie irrépressible d'embrasser le monde entier.

À 20 heures, lorsque devait apparaître à la télévision le visage du nouveau président, elle était au théâtre. À Bobino précisément, où Guy Bedos avait interrompu son spectacle un peu avant l'heure fatidique. Le visage levé vers l'écran géant, il faisait les cent pas le long de la scène en murmurant : « Ça y est, cette fois-ci, ça y est ! » Dans un silence tendu, l'image électronique se déroula peu à peu... Toute sa vie, Marine se souviendrait de la pluie de roses rouges lancées par les spectateurs à l'annonce du résultat, des inconnus qui s'embrassaient et d'un couple de vieux entonnant « Le temps des cerises » avant de fondre en larmes de joie : « Ça nous rappelle 36 ! »

Vers 22 heures, alors que le bal battait son plein place de la Bastille, un orage éclata, violent, sur la capitale. Marine y vit comme un symbole : l'eau purificatrice allait donner naissance à un monde nouveau. Réfugiée sous une porte cochère en attendant que l'averse se calme, elle entendit un monsieur en costume sombre énoncer d'un air tragique :

« Le soir de la prise de la Bastille, en 1789, il y eut également un orage... »

Lui aussi nageait en plein symbolisme.

Le camarade syndiqué devint directeur de cabinet d'un ministre et jouit sans retenue des privilèges de son rang. Il s'amusait à traverser tout Paris en voiture de fonction cernée de motards, et faisait des chronos avec l'un de ses homologues, ancien compagnon de Groupes d'Action Révolutionnaire :

« Vingt minutes pour gagner Orly à 18 heures, tu dis mieux ? »

Ce jeu lui donnait l'illusion de rester jeune et il croyait sincèrement ne pas se prendre au sérieux parce qu'il lui arrivait de venir au ministère en jean de luxe. Quatre ans après sa nomination, il avait pris du poids et perdu sa tignasse rebelle, s'exprimant à présent dans un langage contraint où « l'idéologie à l'épreuve des faits » remplaçait le merveilleux : « Soyez réalistes, demandez l'impossible. » Marine en fut blessée à l'aune des espoirs qu'elle avait nourris et se demandait, comme pour un amour déçu ou trahi, à quel moment, et pour quelle raison on lui avait menti.

« Ils avaient des idées et pas le pouvoir de les réaliser. Ils ont aujourd'hui le pouvoir, mais plus la volonté de réaliser leurs idées, se plaignait-elle à des amis tout aussi désappointés.

— Le pouvoir corrompt, le pouvoir absolu corrompt absolument », lui rétorqua un camarade énarque, ravi de cette citation qu'il présentait comme une fatalité quasi biologique. Marine n'était pas loin de partager cette opinion, mais elle en resta meurtrie et son appétit de vivre s'en ressentait toujours, quelque cinq ans plus tard. Vivre, oui, mais ailleurs, en marge, à côté... Loin de ce monde qui basculait irrésistiblement vers l'injustice sous couvert de modernité.

Dehors, elle fut saisie par la quantité de cars de police stationnés autour des bouches de métro. De braves touristes cherchaient à se rendre aux Champs-Élysées et demandaient leur chemin à des CRS de province venus prêter main-forte à leurs collègues. Il s'ensuivait un dialogue de sourds.

« Désolés, on n'est pas d'ici, on ne peut rien vous dire.

— Mais pourquoi fermez-vous le métro ? s'indignait une vieille dame. Est-ce que ça va durer longtemps ?

— Les correspondances sont-elles assurées ? » s'enquérait un passant exaspéré.

Le policier ne savait pas. Il n'était pas payé pour cela. Un jeune CRS aux joues roses et poupines s'esclaffa :

« Nous, on est des terriens, pas des souterrains, d'ailleurs je suis breton. »

Marine haussa les épaules. Ces vaines palabres ne l'amusaient pas. Elle n'avait même plus envie d'aller au musée de l'Homme comme elle l'avait projeté, et décida de passer chez elle prendre son courrier et des livres, puis de se réfugier chez Antoine.

Une clameur lui fit tourner la tête. Le cortège des personnels soignants arrivait sur la place. Les manifestants étaient très nombreux, jeunes pour la plupart, revêtus de leur blouse de travail sur laquelle était inscrit au feutre rouge ou bleu le nom de l'établissement dans lequel ils exerçaient. Marine lut les banderoles et écouta les slogans, sur un fond de chansons révolutionnaires souvent latinos que faisait grésiller la sono vétuste des voitures suiveuses...

Un appel la fit sursauter :

« Marine ! Maaaarrrrine ! »

Elle chercha d'où provenait la voix. Une main s'agitait au-dessus des têtes. Marine reconnut Anne-Marie. Elle fendit le cordon de sécurité et rejoignit son amie.

« Ça alors, quelle surprise ! Ça fait plaisir de te voir !

— Moi aussi. Depuis combien de temps ?

— Je dirais bien... trois ans ?

— Au moins, oui. Comment vas-tu ?

— Ça va. Et toi ?

— On fait aller, sourit Anne-Marie. Les conditions de travail se dégradent, les camarades sont de plus en plus mous, le pouvoir de plus en plus dur. La routine, quoi ! »

Marine marcha quelques instants aux côtés de son amie. Elle lui trouva un air tendu qui ne ressemblait pas à cette militante de naissance – père et mère communistes pratiquants, comme elle disait en riant quand elle était gamine – dont la vie n'avait été qu'un long parcours vers des lendemains qui chantent. Apparemment, il ne suffisait plus à lui faire accepter ses aujourd'hui moroses.

Le cortège devait se disloquer quelques dizaines de mètres plus loin.

« Tu as le temps de boire un pot ? proposa Marine.

— Pas de problème, je suis en grève ! »

Elles choisirent un bar un peu sombre propice aux confidences et s'affalèrent sur les banquettes de moleskine, comme des années auparavant quand elles faisaient ensemble leurs devoirs au bistrot, à la sortie du lycée. Il faisait un froid de gueux, le vent se faufilait à l'intérieur du café par le moindre interstice. Elles frissonnèrent en même temps et soufflèrent sur leurs doigts pour les réchauffer.

« Je suis gelée, maugréa Anne-Marie. C'est inhumain de défiler en hiver. Autrefois on choisissait le printemps.

— Pas toujours, rappela Marine. En fac, souviens-toi, on faisait la grève en février, pour les premières neiges.

C'était la grève par absentéisme, tous les étudiants disparaissaient sur les pistes.

— Pas chez nous, les élèves infirmières étaient plus sérieuses... ou moins friquées pour partir au ski.

— En tout cas, votre manif d'aujourd'hui est un succès !

— Encore heureux, soupira Anne-Marie, ça fait des mois qu'on remue les camarades pour organiser l'action. J'ai pas dû passer deux soirs de suite à la maison depuis la rentrée de septembre.

— Les troupes ne sont plus motivées ?

— Ce n'est plus pareil. Avant, on manifestait avec l'espoir que ça change, c'était plutôt gratifiant. Aujourd'hui c'est par désespoir que ça n'ait pas changé. Les revendications sont pratiquement les mêmes, mais le cœur y est moins. Pas évident de manifester contre un pouvoir dont on avait tellement rêvé ! Et toi, que deviens-tu ?

— Je suis documentaliste dans une maison d'édition qui publie des encyclopédies et des livres pour enfants. En ce moment, ils préparent une série sur les fonds marins. Je cherche des illustrations et je vérifie des détails aussi cruciaux que le poids de la baleine bleue ou le nombre de dents du requin-marteau.

— Marrant comme boulot ! C'est bien payé ?

— Suffisant quand tu vis seule. Je ne ferai pas cela toute ma vie, mais pour l'instant ça me convient. J'apprends un tas de choses amusantes et on me fait confiance, que demander de plus ?

— C'est vrai. Et côté hommes ? Toujours pas mariée ?

— Non. Pas envie. Ou pas trouvé l'oiseau rare. »

Marine hésita. Elle aurait aimé parler d'Antoine à Anne-Marie mais doutait que cette militante en lutte permanente pût comprendre cette drôle de relation. « Qu'est-ce que tu vas perdre ton temps avec un mec bizarre qui ne t'apporte rien ? » demanderait-elle avec quelque raison. Anne-Marie n'avait jamais compris les amours d'étudiante de son amie, fulgurances d'un soir ou amitiés sensuelles et sans projet. Comment Marine pourrait-elle lui expliquer ce désir violent et inabouti qui la comblait pourtant, ce bien-être inexplicable dont elle envisageait mal à présent de se passer ? Pour Anne-Marie, un homme devait apporter du solide, du concret, un chemin à suivre ensemble et accessoirement du plaisir. Sa seule fantaisie était d'exiger qu'il eût une solide culture politique, ce dont ne manquait pas Jean-Luc, son mari.

« Et toi, avec Jean-Luc, les enfants ? »

Anne-Marie baissa les yeux, silencieuse. Marine en fut alertée. Son amie n'avait pas l'habitude de s'appesantir sur sa vie de famille, harmonieuse et sans surprise, mais là, le poids semblait s'en être accru.

« Les enfants vont bien, ils commencent à être grands. Éric vient d'avoir dix ans, Stéphane va sur ses huit.

— Bons élèves et militants comme leurs parents ?

— Bons élèves, oui, il n'y a pas à se plaindre. Militants... j'ai l'impression qu'ils font plutôt une réaction inverse. L'autre jour, tu sais ce que m'a sorti Éric alors que je partais à une énième réunion ? "Ma pauvre maman, si tu consacrais autant d'énergie à gagner de l'argent qu'à militer, on serait riches. Au lieu de ça, tu te casses le cul pour des minables qui ne te diront même pas merci." Le pire est qu'il n'a pas tort. La semaine dernière, je me suis défoncée pour trouver un logement et des vêtements pour une famille expulsée. Le père est venu me dire que les vieilleries que je leur avais envoyées, je pouvais les reprendre. Il exigeait des habits neufs et à la mode !

— C'est dingue !

— C'est comme ça. Si tu exceptes les mecs qui dorment dehors, ce qu'on appelle pauvreté à Paris ferait rêver plus d'un Africain ! Pas pour rien qu'ils veulent venir.

— C'est toi, la communiste, qui dis ça ???

— Eh oui ! Sans doute parce que je les côtoie plus que toi, les pauvres. Souvent je me dis que si le Che revenait, il découvrirait avec stupeur que l'Homme nouveau et fraternel dont il rêvait n'existe pas. Y a des exceptions, bien sûr, mais globalement c'est plutôt chacun pour soi. »

Anne-Marie sourit :

« Je garde mes idéaux, rassure-toi. Mais le scandale aujourd'hui, c'est moins la pauvreté que la richesse indécente de certains, qui sont de vrais parasites. L'argent pour l'argent, sans la moindre idée d'intérêt collectif. Les usines paternalistes d'autrefois étaient moins pires ! Alors m'être tant battue pour en arriver là, tu comprendras que je fatigue. J'en ai marre de perdre mon temps en réunions. Les gars s'en foutent, ils n'ont que ça à faire après le boulot, mais moi j'aimerais bien voir davantage les enfants, lire, faire autre chose, quoi ! Quand j'ai aidé trois mourants à passer, j'ai envie de me consacrer à du plus gai que les cas sociaux.

— Bref, le ras-le-bol ?

— Un peu… Mais il n'y a pas que ça. »

Anne-Marie hésita, soupira à nouveau. Marine, qui l'observait, vit ses yeux s'embuer. Elle ne dit rien, attentive à ne pas précipiter un chagrin qui cherchait tant à se cacher, mais prête à l'accueillir si les digues rompaient. Un silence s'installa entre elles deux, sur lequel les premiers mots d'Anne-Marie, prononcés d'une voix sourde, tombèrent lourdement, comme des gouttes de pétrole sur du sable mouillé.

« Avec Jean-Luc, j'ai des problèmes.

— Graves ?

— Difficile à savoir. On se connaît depuis le collège. Plus de quinze ans, ça enlève la distance pour réfléchir. »

Anne-Marie se tut quelques secondes pour rassembler ses idées. Avec Jean-Luc, elle avait partagé avec bonheur la vie quotidienne et le militantisme. Un couple modèle, envié depuis des années par tous ceux que déchirait la vague de divorces de la décennie. Cependant, depuis deux ou trois ans, Jean-Luc lâchait un peu côté politique. Déception et lassitude, sans doute.

« Puis tu sais, il n'est pas prolo de naissance, lui. Avec sa famille, il aurait plutôt dû pencher de l'autre côté. »

Anne-Marie n'y avait pas prêté attention, pensant que chacun est libre de ses choix. Mais peu à peu ils avaient eu moins à se raconter le soir, moins d'enthousiasmes à partager et toujours la même somme de contraintes quotidiennes devenues leur partage essentiel.

« Il y a trois mois, il a rencontré une petite...

— Ce ne serait pas la première, sourit Marine, qui connaissait le succès de Jean-Luc auprès des jeunes militantes.

— Je sais, mais cette fois c'est différent. Jean-Luc a toujours eu des histoires avec des camarades plus jeunes que lui, ce que j'appelle son côté Pygmalion. Ça ne m'a jamais gênée, j'étais même assez fière qu'il plaise et qu'il soit à moi. Mais là, ce n'est pas pareil.

— Qu'est-ce qui est différent ?

— Ce n'est ni une militante, ni une fille du quartier. Je ne l'ai jamais vue, mais je sais qu'il en est dingue. Il a changé, il n'est plus là, même quand il est à la maison. Il rêve.

— Elle est jolie ?

— J'en sais rien et je m'en fous. Ce qui me fait mal, ce n'est pas qu'il la baise, c'est de penser qu'il rit avec elle et qu'il s'ennuie avec moi. C'est vrai, je ne suis pas drôle, j'ai jamais su être drôle. J'ai toujours pensé que la vie est quelque chose de sérieux qu'on construit à la force du poignet avec ses convictions. Et là, je le vois qui craque pour une fille qui ne lui apporte rien, rien que du vent léger. Alors je me dis : “C'est donc cela dont il avait besoin ?” Et je me sens totalement larguée. J'avais des principes, des certitudes, et je me demande si quelque part, je ne me suis pas complètement fait avoir. »

Anne-Marie vida son demi de bière sans respirer et reposa la chope. De l'ongle, elle suivit le contour du sous-verre en carton sur lequel était imprimée la silhouette d'un fier soldat défendant une frontière sans doute prussienne. Marine ne dit rien, attendant les derniers mots, sûrement les plus durs à prononcer. Elle but une gorgée de son chocolat qui avait refroidi et manquait d'arôme. Dehors le ciel était bas, les voitures circulaient mal. L'embouteillage dû à la manifestation n'était pas encore résorbé. À l'entrée du café, un énorme chien-loup barrait le passage, enlevant à d'hypothétiques clients toute envie d'y pénétrer. C'était un temps d'automne en plein hiver, un temps de fin d'époque, début de quelle autre ?

Anne-Marie cessa d'écorcher le carton du sous-verre. Elle se racla la gorge, releva la tête et sourit à Marine :

« Tu sais l'ironie des choses ? Je travaille dans un service de soins palliatifs où meurent un malade ou deux par semaine. Je m'occupe de cas sociaux à la mairie où je côtoie des misères innommables. Je lis le bulletin d'Amnesty où on raconte des atteintes horribles aux droits de l'homme. Tout cela me révolte, me hérisse, me révulse, mais la seule chose qui m'a fait mordre mon oreiller en pleurant, la seule chose qui m'a donné envie de mourir, là tout de suite et sans regrets, c'est l'idée que Jean-Luc en aime une autre. Non, même pas, je dis une bêtise. C'est l'idée que, durant des années, il a manqué de quelque chose que je n'ai pas su lui apporter. C'est dérisoire, non ? On ne souffre vraiment que lorsque son petit ego est remis en cause. »

Marine écouta longuement son amie et décortiqua avec elle les caprices de la vie, avec l'impression mitigée de vivre un instant d'amitié important et d'agiter des lieux communs.

« Plus les années passeront, songea-t-elle, plus je rencontrerai de ces gens blessés par la vie, plus tout neufs mais pas encore assez vieux pour encaisser le choc du temps et des désillusions. »

Elle se demanda fugitivement si la vie valait la peine d'être vécue pour assister à cette déliquescence universelle, puis sourit en regardant sa montre : dans quatre heures, elle avait rendez-vous avec le Brésil.

16

Sur le dos de sa main, Antoine saupoudre une pincée de sel. Marine y pose délicatement le bout de la langue. Les grains de sel sur ses papilles la font saliver. Il lui tend un verre :

« Tequila. Bois. »

Elle lève des yeux surpris, l'interroge :

« Tequila, Mexique. Pas Brésil !

— Patience, le voyage ne fait que commencer. Tu as tout le temps de découvrir la *batida* et d'autres alcools plus forts encore. »

Marine se laisse convaincre, savoure la brûlure de la tequila glacée au fond de sa gorge. Allongée sur une montagne de coussins au milieu du studio, elle n'habitera plus désormais d'autre monde que celui des images qui se créeront au plafond, au mur, sur le sol et jusque dans ses cheveux.

Ce sont d'abord, éclatées à travers la pièce, les notes flamboyantes d'une samba rebondissant au plafond avant de finir d'un trait d'étoiles filantes entre les lèvres de Marine. Elle déglutit : la musique a un goût de lave en fusion, de ferveur d'un peuple capable d'infinie douceur comme de folie meurtrière. À présent le Brésil est là, dans ce studio parisien, plus Brésil que le Brésil réel, tout empli des rêves et des fantasmes qui font courir l'homme blanc à la recherche d'une chaleur qu'il ne trouve pas en lui. Des hommes et des femmes beaux à pleurer avancent en cortège le long d'une piste de terre vermillon dont la poussière maquille leurs pieds nus. À leurs allures déterminées, Marine comprend qu'ils veulent à manger, qu'ils réclament leurs terres, ou exigent moins d'injustice. Le rythme de la samba s'accélère, la foule commence à onduler des hanches. Bientôt, tous les corps échauffés épousent la musique en des noces ensoleillées et cruelles.

Une fille avance au plafond, vêtue de peu de chose. Elle a des jambes interminables où saillent des muscles durs. Elle s'extrait de la foule au rythme des cinq temps que balancent les militaires sur des instruments à peau. Appeaux. La révolte sera bientôt piégée par l'irrésistible séduction de la samba plus sûrement qu'au prix des balles. Au bord du chemin, les soldats observent le phénomène sans un geste. Leurs matraques resteront inutiles. La musique suffira à disperser les mécontents avant la nuit, qui tombe vite sous ces latitudes. Les banderoles elles-mêmes s'animent de joyeuses convulsions, tandis que les slogans fascyent, faute de vent porteur. Marine capte de fugitives inscriptions en portugais, qu'elle ne comprend pas. Elle avale une autre gorgée de samba, sursaute quand la frôle une aile gigantesque.

Dans le soir rampant s'élèvent de grands oiseaux noirs. Leurs ailes alourdies par la chaleur moite battent l'air sans trop y croire. Marine s'allonge complètement sur le sol pour mieux les observer. Un rapace se perche sur un rocher à pic, presque une montagne, et lance un cri pas très joli, comme le crissement d'une râpe à fromage sur une bouteille de verre. Sa tête rase laisse apparaître une peau fripée, d'un rose pâle peu engageant, piquée çà et là de plumes rabougries. On dirait un vieil imam lançant d'une voix désolée des prédictions de non-avenir à un monde en déroute. Son compagnon tournoie au-dessus d'un nuage dans l'intention de s'y poser mais hésite, flairant le piège.

La foule des danseurs a disparu. Ne restent aux abords du bourg que ces pessimistes volatiles. La nuit sent l'air salé des bords de mer mêlé des fétides effluves de marigot inévitables sous les tropiques, qui imprègnent la peau jusqu'à en devenir une constante composante, et dont l'odeur rappelle des années plus tard au voyageur ses nuits tropicales hors du temps, comme une douce et nauséabonde nostalgie. Pas un souffle d'air ne trouble le cheminement des étoiles.

Marine s'étire. Elle se sent si bien que mieux ne serait pas supportable. Antoine lui glisse entre les lèvres un beignet épicé que ses papilles identifient aussitôt comme brésilien. Il lui offre ensuite un marché haut en couleur bourré de fruits et de gaieté. Des enfants aux yeux vifs courent entre les étals, chapardant des corossols gisant à terre, glanant des haricots secs, mendiant un fond de bouillie de maïs à une marchande édentée dont ils raillent ensuite les membres si poussiéreux qu'on les dirait farinés. Un vendeur d'herbes magiques promet amour et gloire à ceux qui s'aventurent à avaler ses potions. Les femmes lui achètent de l'herbe à virilité en riant entre elles de la nuit qui va s'ensuivre. Leurs mimiques seraient obscènes sans cette joie de vivre qui rend leur sensualité naturelle comme une gourmandise enfantine. Marine en est troublée. Elle boit de la *batida* au citron vert, de la *batida* aux fruits de la passion et enfin de la *batida* à la noix de coco, trop sucrée, qui transforment peu à peu son trouble en euphorie.

Antoine l'entraîne ensuite au cœur d'une ville ultramoderne, quasi futuriste, sous les yeux inquisiteurs d'adolescents trop beaux pour être vrais. Aux abords des immeubles de verre, dans la no right land où s'organisent des trafics en tout genre, Marine est soudain frappée au cœur par une image dont elle avait entendu parler sans jamais la voir : un gamin d'à peine quatorze ans étendu sur le goudron, face au sol et membres disloqués, massacré par un des escadrons de la mort qui sèment la terreur dans ces quartiers.

Elle croque des galettes aux crevettes et aux piments, étanche sa soif à des breuvages de plus en plus inidentifiables et se trouve juste à point pour les accords des musiciens de l'aube. Vinicius de Moraes, bien sûr, qui concorde si bien avec son Brésil intime, et bien d'autres qu'elle reconnaît sans les avoir jamais entendus, avec leurs voix-confidence qui la caressent à fleur de peau.

Elle ne saurait dire combien de temps dure cet ultime voyage. Elle écoute la musique sans bouger, l'esprit flottant, le corps tendu à la rencontre des notes. Lorsque s'éteint la dernière, il lui semble dans le silence qui suit que le plaisir se retire d'elle.

« Incroyable, merveilleux, balbutie-t-elle. C'était total Brésil !

— Tu y es déjà allée ?

— Non, jamais, mais les gens, les couleurs, la musique... J'ai même eu l'impression de respirer les odeurs tellement j'y étais. Je veux dire, tellement c'était exactement tel que je l'imaginais. »

Antoine sourit. Il débranche ses appareils, enroule avec soin les câbles électriques, puis commence à ranger son matériel. Il regarde une à une ses diapositives et les classe dans des boîtes numérotées dont chacune doit correspondre à une scène précise qu'il a créée avec un arsenal de projecteurs et de trucages que Marine ne cherche même pas à élucider. Elle demande seulement, sidérée par la quantité de matériel encombrant le studio :

« Mais combien as-tu pris de photos, c'est énorme ?

— Ce ne sont pas des photos, ce sont des dessins.

— Des dessins ?

— Réalisés avec un pinceau ultra fin, parfois un seul cheveu ou une pointe d'aiguille sur un film transparent spécial, avec des peintures spéciales. Ça a été assez délicat parce que j'ai dû parfois travailler au microscope. Dans le si petit, on n'a guère d'autres moyens pour saisir tous les détails.

— Tu veux dire que ce n'est pas toi qui as pris ces photos ?

— Non, je te dis que je n'ai pris aucune photo et que je me suis contenté de dessiner. Comment aurais-je pu prendre des photos puisque je ne suis jamais allé au Brésil ?

— Tu n'y es jamais allé, mais tu aurais pu, je ne sais pas... Tu aurais pu les acheter.

— Ça ne m'intéresse pas. Les photos des autres, c'est forcément le Brésil des autres et c'est le mien qui m'importe. Celui que j'ai imaginé en lisant, en voyant des films, en écoutant de la musique, en bavardant avec des amis brésiliens et en essayant de les connaître même à travers ce qu'ils me taisaient. Ce Brésil-là m'a inspiré des images sans doute partielles et partiales, mais peu importe.

— Ça ressemble quand même bigrement au vrai Brésil. La preuve, c'est que j'y ai cru.

— Peut-être as-tu suivi les mêmes cheminements que moi. Une culture commune donne des regards similaires. Ce ne sont que des regards, qu'une partie de la vérité, mais peu importe : toute réalité est différente selon le regard de celui qui l'observe.

— Attends ! Le gamin mort au milieu de la route, c'est une photo qui a été publiée partout dans les journaux, je m'en souviens parfaitement. »

Antoine admet :

« Tu as raison, je l'ai vue aussi. C'était juste au moment où je faisais mes dessins sur le Brésil. J'ai longuement hésité, parce que cette photo détruisait en partie mon rêve. Mes amis brésiliens ne faisaient pas de politique, comme on dit. Cela signifie qu'ils avaient voulu sauver leur peau en s'exilant, et que réfugiés en France, ils cherchaient à oublier l'horreur. Le Brésil qu'ils me décrivaient était le paradis perdu de leur jeunesse, le pays de leur nostalgie, et je tenais à ce rêve. Malgré tout, j'ai dessiné l'enfant assassiné d'après le souvenir que m'avait laissé sa photo. Parce que en ne le faisant pas, je tuais ce môme une seconde fois, et ça, je ne le supportais pas. »

Antoine approche une diapositive vers l'ampoule du lampadaire et fait signe à Marine :

« Regarde bien : à la lumière vive de l'ampoule, on voit que c'est un dessin. »

Il pointe un ongle sur un détail :

« Là, juste au bout de mon doigt, le trait a un peu bavé. À la projection c'est joli, ça crée un halo, mais c'était tout à fait involontaire. »

Marine fixe l'image à s'en brûler la rétine. Elle sort une autre diapositive du chariot, puis une autre encore, et ne peut qu'admettre à chaque fois qu'Antoine est le plus génial faussaire du monde.

« Et la nourriture ? demande-t-elle. Fausse également ?

— Ah non ! Totalement authentique. C'est moi qui l'ai préparée, mais à partir de recettes d'origine que m'a enseignées un sculpteur brésilien très beau. Il était à la fois gourmet et fin cuisinier. Je crois qu'en cinq ans de mariage sa femme n'a jamais touché une casserole. Au début je commettais l'erreur classique de trop pimenter pour faire exotique, puis j'ai appris à équilibrer les épices et je pense à présent, sans me vanter, que je sais préparer une authentique cuisine brésilienne.

— Que sont devenus ces amis ?

— La plupart sont repartis. Mal du pays. Ils aimaient la France, pourtant, mais à la fin, leur nostalgie était si grande que même mes couchers de soleil ne les distrayaient plus. Le seul qui soit resté est le sculpteur. Il a quitté sa femme quand il s'est aperçu qu'il préférait les garçons. On s'est vus pendant quelques mois à intervalles variables, puis il a commencé à exposer un peu partout dans le monde, en Allemagne, en Suède, en Australie, etc. »

Tout en parlant, Antoine se lève et ouvre son grand placard. Marine le regarde fouiller dans une cantine métallique et en extraire un objet d'environ un mètre de haut, emmailloté dans un tissu blanc.

« Cet ami ne m'a pas laissé seulement ses recettes. Il sculptait sur bois et réalisait des merveilles. Avant de partir il m'a donné ça. J'y tiens énormément. »

Antoine retire l'épingle double qui maintient l'extrémité du tissu et commence à dérouler l'étoffe en tournant autour de l'objet. Il l'enroule aussitôt autour de son bras gauche, avec la minutie d'un marin démêlant ses cordages. L'informe ballot blanc s'affine à chaque tour laissant peu à peu deviner une silhouette. Progressivement, la couleur brune du bois transparaît à travers le tissu. Le dernier tour ressemble au final d'un strip-tease. Un corps de femme surgit, superbe et triomphant. Antoine dépose le rouleau de tissu sur la moquette et caresse le bois d'une main légère :

« Je ne sais pas qui a posé pour cette statue, mais je suis fasciné par l'énergie et la sensualité qu'elle dégage. »

Marine ne répond pas. Elle regarde Antoine fixement. Celui-ci parcourt les cuisses satinées et parfaites de la statue, suit d'un doigt le pli de l'aine et remonte le long du dos finement musclé, s'attardant à la naissance de la taille, comme si nichait là une douceur particulière. Sa paume droite emprisonne quelques secondes une épaule, ses doigts délimitent la zone fragile de la nuque que le poli du bois fait paraître soyeuse. Son majeur trace le contour du visage, le dessin des sourcils, la forme des lèvres.

« Regarde cette bouche, on la jurerait vivante. Et ce ventre, lisse sans être plat, quasi frémissant. Parfois je m'étonne de ne pas le voir respirer. »

Sa main effleure la surface indiquée, décrit des cercles concentriques autour du nombril. La statue semble s'offrir avec complaisance à cette exploration. Sa pose habilement choisie répond au désir de la main qui se promène. Fascinée, Marine suit des yeux les doigts fins d'Antoine. Il ne lui prête aucune attention, totalement absorbé, semble-t-il, par les caresses qu'il prodigue à la brune statue. Marine s'hypnotise sur ces gestes lents et doux qui l'emplissent d'une langueur incontrôlable. Elle imagine ces mains sur elle et son ventre se crispe tandis que celui de la statue reste impassible. Sa peau frissonne, jalouse de son dénuement. La main claire d'Antoine parcourant le bois sombre de la statue semble un fantôme d'une insoutenable sensualité. Marine ferme les yeux pour résister à l'envie de la saisir. Elle respire profondément pour tenter de juguler son émotion et étouffe un gémissement dont elle ne sait s'il est de plaisir ou de désarroi. Antoine se penche vers elle et murmure à son oreille :

« Voilà. Tu sais désormais ce qu'est la saudade. »

17

Après le Brésil, il y eut l'Alaska, puis un chapelet d'îles minuscules perdues dans l'océan Indien, qu'Antoine montra à Marine sur une mappemonde. À peine quelques têtes d'épingles entre Indonésie et Australie, à des milliers d'encablures de toute terre civilisée. Paradoxalement, ces îles existaient et les diapositives n'étaient pas fausses. Antoine avait fait le voyage un jour lointain.

« Une drôle d'histoire, raconte-t-il. Quand j'étais en terminale – je devais avoir dix-sept ans –, j'avais un ami avec lequel j'avais inventé un jeu que nous appelions "Jouer au monde". Chaque jour nous imaginions à tour de rôle une histoire à réaliser et nous y parvenions presque à chaque fois. Ce garçon avait un sens du scénario fascinant. Il a d'ailleurs gagné des millions en inventant et commercialisant des jeux de rôles qui font fureur dans le monde entier. Lui et moi rêvions de prendre le large, dans tous les sens du terme. Un jour, Grigoritos...

— Il était grec ?

— Grec par son père, italien par sa mère. Romain, pour être précis. Un superbe concentré de culture classique, avec un physique de statue antique. Nous devions être parmi les derniers du lycée à faire du latin et du grec pour le plaisir. Nos copains nous avaient d'ailleurs surnommés Romulus et Remus.

— Continue ton histoire.

— Oui. Un jour donc, Grigoritos me dit, quelques semaines avant le bac : “Antoine, après le lycée, nous risquons de nous perdre de vue. J'envisage mal que tu sortes de ma vie, mais je n'ai pas envie non plus que nous gardions contact par le biais sempiternel de cartes de vœux ou autres mondanités aussi peu esthétiques.”

— Il te l'a vraiment dit comme ça ?

— Tout à fait. Il avait un langage très écrit, un véritable enchantement. “Aussi, a-t-il poursuivi, je te propose un ‘Jouer au monde’ à long terme. Rendez-vous dans trois ans aux îles Cocos, nous y fêterons ensemble nos vingt ans.” Il était du 23 septembre, un jour de différence avec moi.

— Et tu es allé au rendez-vous ?

— Évidemment ! J'ai regardé un globe terrestre et j'ai acheté un billet d'avion pour Djakarta. Une fois arrivé, j'ai trouvé un bateau pour les îles Cocos. Avant d'embarquer, j'ai erré pendant deux jours dans Djakarta, persuadé que j'allais me trouver nez à nez avec Grigoritos. J'avais imaginé une rencontre fortuite sur un quai en sortant d'un bouge mal famé, ou dans une église où lui et moi serions entrés, non pour nous livrer à quelques dévotions, mais pour trouver un peu de fraîcheur et de silence. Hélas, pas de Grigoritos. Le 22 septembre j'ai embarqué et j'ai fait le tour des îles pendant presque une semaine en laissant des messages pour lui à tous les marins et toutes les filles que je rencontrais. En vain. Je suis retourné en France sans avoir retrouvé Grigoritos.

— Il avait oublié le jeu ?

— Non. La vérité est à la fois plus bête et plus drôle. Aux îles Cocos, j'avais pris des photos, des vraies, et en ai envoyé une aux parents de Grigoritos qui la lui ont transmise, car je ne savais pas ce qu'il était devenu ni où il habitait. Au dos de la photo, j'avais écrit *veni, te non vidi* : “Je suis venu, je ne t’ai pas vu.” Trois semaines plus tard, j’ai reçu une photo superbe, ensoleillée, avec le même message agrémenté d’un *post-scriptum* : “Antoine, tourne ta mappemonde et regarde au large du Costa Rica.” J’ai regardé, et j’ai vu des îles Cocos à quelques milles au large du Costa Rica, entre Managua et San José. Il existe deux archipels Cocos, et Grigoritos m’avait cherché une semaine dans l’océan Pacifique ! »

Marine éclate de rire :

« C’est génial ! Une histoire pareille, je l’aurais lue, je n’y aurais pas cru. Mais dis-moi : vous êtes-vous revus un jour ?

— Oui, une fois. Dans son bureau à Paris. J’ai découvert Grigoritos en homme d’affaires du type “cool mais businessman”. Il a fondé une société et fait jouer au monde des millions de gens à l’aide de boîtes et de figurines d’argent ou de plomb suivant les moyens de ses clients, avec des règles du jeu extrêmement complexes. Ça lui rapporte une fortune mais lui-même n’a plus le temps de jouer.

— En es-tu sûr ?

— Il ne l’avoue pas et jure qu’il n’a pas changé. Mais quand je lui ai proposé un thème pour l’année suivante, il m’a répondu : “Écoute, Antoine, je suis partant pour l’aventure, tu me connais. Mais là, il est trop tôt pour fixer une date, je ne sais jamais trois mois à l’avance comment vont évoluer mes affaires. — Je peux te prévenir la veille, si tu préfères, lui ai-je susurré. — Pas la veille, mon vieux, tu auras une chance sur mille que je sois disponible.” Et voilà. Comme tout le monde Grigoritos a cessé d’être disponible, même si sa tête continue à rêver entre deux rendez-vous professionnels. Je l’ai quitté au moment où il allait me dire...

— “Salut, on s’appelle et on déjeune” ?

— Tu as tout compris. »

Antoine hésite un instant, puis fouille dans la boîte en marqueterie où il entasse toutes sortes de paperasses et objets de provenances variées et en extrait une carte de visite au format américain :

« Il m'a tout de même laissé sa carte, au cas où. Pas une carte personnelle, une professionnelle ! »

Marine a à peine le temps de lire le nom et la raison sociale du Gréco-Romain. Antoine escamote le bristol puis éteint la lumière. Comme promis, il projette au plafond les diapositives des îles Cocos. Marine découvre son regard de photographe avec une certaine déception. Lui qui sait si bien, en dessinant, donner vie au moindre objet et au moindre lieu, s'est livré aux îles Cocos à une banale promenade de touriste collecteur de souvenirs. Ses prises de vues sont belles mais sans émotion, comme un regard distancié sur la réalité, entre indifférence et ennui. Marine les regarde machinalement, en espérant que la séance ne s'éternisera pas. Antoine perçoit sa réticence.

« J'ai faim, fait-il en éteignant le projecteur, on arrête.

— Comme ça, au milieu du voyage ?

— Tu ne voyages pas, tu es couchée sur tes coussins devant une projection de diapos, et tu t'ennuies...

— Tu as raison, avoue-t-elle, excuse-moi : on ne passe pas toujours de l'autre côté du miroir. Je vais voir ce qu'il reste dans le frigo. »

Elle s'étire, se dirige en bâillant vers la cuisine. Les clayettes du frigo débordent de denrées pittoresques – œufs de saumon craquant sous la dent, crème d'amandes, vodka aux herbes, pemmican, épis de maïs au vinaigre doux, fruits exotiques... Que des ingrédients choisis pour le plaisir qu'ils procurent, sans aucune considération pour leur valeur nutritive ou leur contribution à l'équilibre diététique.

Il faut être très fort pour faire des marchés pareils et résister aux sirènes du moralisme alimentaire, songe Marine en faisant griller des toasts carrément briochés, sans vitamines ajoutées ni fibres bonnes pour le transit.

Tous deux grignotent assis par terre, au son du *Concerto n° 1 pour piano et orchestre* de Tchaïkovski.

« Antoine… Pourquoi toujours ce disque ? »

Il la regarde, sourit :

« Lorsque Tchaïkovski a écrit ce morceau, le pianiste à qui il était destiné l'a estimé injouable et a demandé que la partition soit remaniée. Tchaïkovski a refusé d'y changer une seule note et finalement quelqu'un d'autre l'a interprété. C'est devenu une de ses œuvres majeures. Pourtant, l'année où il l'a composé, Tchaïkovski commençait à être atteint d'une grave maladie nerveuse. Cette œuvre est en quelque sorte le prélude à sa folie, et c'est pourquoi y alternent des phases d'euphorie et d'autres de dépression. Les travaux d'un physicien sur les "musiques de protéines" qu'il appelle des protéodies ont d'ailleurs mis en évidence de troublantes similitudes entre certaines phrases musicales du concerto et les séquences vibratoires d'une hormone régulant l'humeur.

— Bravo pour ton commentaire digne d'une soirée des Jeunesses musicales de France, mais tu n'as pas répondu à ma question.

— Je n'ai pas très envie d'y répondre. »

Marine n'insiste pas. À la dérobée, elle observe le visage d'Antoine, apparemment absorbé par l'épluchage d'un fruit exotique incertain, que ses poils rouges et drus rendent curieusement antipathique. Il a les yeux baissés, les lèvres crispées sur son silence et elle jurerait que ses joues sont brûlantes. Son air buté, fermé, la bouleverse. Elle s'en veut de sa question qui les a éloignés l'un de l'autre et se jure de ne plus rien lui demander. Antoine lève soudain les yeux vers Marine. Il lui tend le fruit épluché, garde quelques secondes ses doigts enserrés :

« Petite Marine… Comme je suis heureux que tu aies oublié ton bonnet sur la table du restaurant ! »

18

Un Père Noël joufflu arpentait le trottoir, bousculé par la foule des acheteurs de dernière minute s'apercevant brusquement qu'ils ont oublié les toasts pour le foie gras ou le papier cadeau. Il tenta de dégourdir sa main droite en l'abritant dans la poche de son long manteau rouge, tandis que de la main gauche il retenait sa barbe qui pendait de guingois depuis qu'une bande de chenapans avait tiré dessus en hurlant :

« Noël au balcon, Noël aux beaux cons ! »

À même pas dix ans, ils ne croyaient déjà plus en lui.

Le père Noël essuya ses yeux embués par le froid. Sous le maquillage, ses yeux paraissaient étonnamment jeunes et son front n'affichait aucune ride. Marine s'approcha de lui :

« Bonjour, Père Noël, hurla-t-elle d'une voix aiguë de fillette, je veux qu'on me prenne en photo avec toi.

— Bien sûr, mon enfant, répondit le Père Noël sur un ton métissé d'ogre et de gros nounours s'apprêtant à jeter du sable dans les yeux des petits. Viens t'asseoir sur mes genoux !

— Pas question, répliqua-t-elle, offusquée. Je veux grimper dans ta hotte et que tu me portes. On dirait que je serais un cadeau, d'accord ?

— Je ne sais pas si le photographe va être d'accord, objecta le Père Noël en reprenant sa voix normale. J'ai un contrat draconien : photos avec des enfants sur les genoux ou à côté de moi, tel format, tel prix. Si on fait comme vous dites, il va me prendre pour un satyre et vous pour une folle.

— Je vous en prie, faites-moi plaisir ! Il n'y a qu'à pas lui demander. Je monte dans la hotte, vous la soulevez, prêt à l'accrocher à votre dos et on l'appelle au dernier moment : "Hep, photo !" Avec un peu de chance, il déclenchera par réflexe sans avoir le temps de réaliser. Quel prix, les photos ?

— 50 francs la 18 × 24, 70 francs la 24 × 30.

— Le double en liquide si on y arrive. »

Stimulé par la proposition, le Père Noël empoigna la hotte qu'il avait adossée à un arbre et aida Marine à s'accroupir dedans. Elle s'y accouda comme à un balcon, peigna ses cheveux et remit bien en place son bonnet jacquard.

« On y va ? »

Le Père Noël enfila une bretelle de la hotte et héla le photographe :

« Marcel ! Photo ! »

Il eut juste le temps de s'arc-bouter pour hisser la hotte sur son dos. Marcel s'était retourné en un éclair et avait mitraillé une demi-douzaine de fois le couple étrange formé par ce Père Noël juvénile et son cadeau qui hoquetait de rire.

« Il flashe plus vite que son ombre, votre Marcel, c'est le Lucky Luke, le Zorro de la pellicule !

— Non, c'est un métier. »

Marine descendit de la hotte :

« Merci infiniment, c'est très gentil de votre part. Alors la photo, dans une heure ?

— On fait l'impossible et même plus. »

Une heure plus tard, Marine ouvrit l'enveloppe matelassée que lui tendait le Père Noël. Le cliché était très réussi. Elle y apparaissait en gros plan, rieuse, semblant surgir de la hotte, tandis qu'en arrière-plan la foule, les guirlandes lumineuses aux arbres et même une loupiote bleue de voiture de police composaient un décor flouté, kitsch à souhait.

« Super, c'est exactement ce que je voulais. Voilà vos sous. Puis-je vous offrir un café ?

— Je ne peux pas, fit le Père Noël à regret, j'ai encore une heure à déambuler avant d'avoir fini mon service.

— Dommage, depuis que je suis toute petite, je rêve de pervertir le Père Noël en l'emmenant au bistrot. Et dans le civil, vous faites quoi ? »

Il lui chuchota à l'oreille :

« Je prépare une thèse d'ethnologie sur l'influence des rites chrétiens sur les coutumes animistes. J'étudie en particulier comment certaines ethnies africaines colonisées par les pères blancs ont su adapter les fêtes de la Nativité - crèche, neige et réveillons plantureux - à leur vécu de sécheresse, divinités lubriques et galettes de manioc.

— Bravo ! se réjouit Marine. Voilà enfin des questions primordiales. »

Le Père Noël la fixa d'un œil soupçonneux mais elle n'avait pas l'air de se moquer. Elle l'embrassa sur les deux joues avec enthousiasme :

« Bon courage pour la dernière heure. Vous savez que vous m'avez presque réconciliée avec les fêtes de fin d'année ? »

Marine s'éloigna à grands pas. Cette photo serait son cadeau à Antoine. Il lui fallait à présent passer chez elle prendre des vêtements chauds. En se réveillant, elle avait trouvé un mot près de la cafetière :

« J'ai eu une idée. Surprise. Passe chez toi prendre des vêtements très chauds, genre doudoune, gros pulls et pantalons molletonnés, je m'occupe du reste. »

Vivre avec cet homme était un jeu sans limites...

La route était déserte, noyée d'une brume légère qui déferlait par vagues successives sur le bitume. Antoine conduisait paisiblement, avec une régularité rassurante. L'autoradio diffusait de la guitare classique. Marine, sanglée à son siège, goûtait la paix du moment. Elle remarqua qu'ils prenaient l'autoroute de l'Ouest et ferma les yeux. Elle n'avait pas même envie de savoir où l'emmenait Antoine. Le coffre était encombré par un sac immense dont elle ignorait le contenu. C'est à peine si elle avait pu y caser son propre bagage bourré de lainages. Ils partaient pour une nuit et s'équipaient comme pour une vie.

« Quelle heure est-il ? demanda Antoine.

— 8 h 10.

— Nous arriverons dans un peu plus de deux heures.

— J'ai sommeil, ça ne t'ennuie pas si je dors ?

— Au contraire. J'aime te regarder dormir. »

Marine se demanda s'il se relevait la nuit pour l'observer dans son sommeil. L'idée lui sembla plus inquiétante que romanesque. Elle actionna le levier du siège et inclina le dossier au maximum. Antoine lâcha le volant d'une main, attrapa à tâtons le plaid qui traînait sur la banquette arrière.

« Couvre-toi, il fait très froid ce soir. »

Elle se pelotonna dans la laine, sous laquelle ses mains devinrent rapidement tièdes. Elle les glissa sous son pull, là où sa peau était carrément chaude et s'endormit ainsi, les mains posées sur son ventre. Antoine fixait la route et goûtait le calme de la nuit. En cette période de fêtes surchargée de travail, il était saturé de lumières et de bruit. Lorsque Marine fut endormie, il éteignit l'autoradio pour jouir du silence.

Ils atteignirent la côte un peu avant 11 heures. Antoine avança le plus près possible des falaises et coupa le moteur.

« Petite Marine... On est arrivés. »

Elle se redressa en sursaut, se frotta les yeux :

« On est où ?
— Sur les falaises d'Étretat.
— Étretat ?
— Oui, en Normandie. Tu n'aimes pas ? fit-il, soudain inquiet.
— Oh si, j'adore. Mais c'est le dernier endroit où j'aurais imaginé passer la nuit de Noël.
— C'est bien pour cela que je l'ai choisi. Pas de neige, pas de guirlandes, pas de sapin... Viens, on va voir. »
Elle s'extirpa de la voiture, encore ensommeillée. Antoine s'était garé à l'extrême bout de la petite place qui surplombe la plage de galets. Marine devina sur la gauche le chemin de la falaise, abrupt en été et si sombre cette nuit-là qu'elle n'imaginait pas pouvoir s'y aventurer. Les étoiles lovées dans les nuages diffusaient une lumière laiteuse. Dans un murmure, la mer étalait consciencieusement ses festons mousseux sur les graviers. Marine frissonna :
« Tu as froid ?
— Un peu. Ça va passer.
— Tu crois que l'eau est bonne ?
— Tu es fou ! Elle doit être glacée.
— J'ai envie d'aller la toucher. Viens avec moi. »
Marine voulut résister, mais Antoine la saisit par la main et l'entraîna en courant. Elle s'arrêta néanmoins à la première rangée de graviers luisants.
« Là, c'est mouillé. Je ne vais pas plus loin. »
Antoine lui lâcha la main, elle se sentit orpheline. Elle le regarda s'éloigner lentement vers la mer, pas à pas. Brusquement il se baissa, se déchaussa, retira ses chaussettes et se mit à courir vers les vagues en levant haut les pieds, faisant jaillir des gerbes d'écume. Marine le vit se pencher, ramasser quelque chose et revenir vers elle. En passant, il récupéra ses chaussures et ses chaussettes, qu'il garda à la main. Elle se précipita à sa rencontre, le serra contre elle.

« Tu vas geler, Antoine, tu es fou.
— Mais non, je vais m'essuyer et tout ira bien. Tiens, un cadeau de la mer, elle me l'a donné pour toi. »

Il lui enroula une laminaire brune autour du cou, comme une écharpe marine, lui donna ses doigts à lécher :

« Elle a meilleur goût qu'en été, tu ne trouves pas ? »

Marine ne répondit pas. Elle goûtait sur ses lèvres le sel de la mer et les doigts d'Antoine et aurait donné sa vie pour éterniser cet instant. Mais il lui reprit sa main :

« Il faut que je me sèche. »

Il retourna à la voiture, prit dans le coffre un grand drap de bain et essuya longuement ses pieds et ses chevilles avant de se rechausser. Puis il adressa à Marine un sourire lumineux :

« Voilà. Je n'ai plus froid et j'ai salué les vagues ! »

Il regarda sa montre :

« 11 heures passées, il est temps d'y aller !
— Aller où ?
— En haut de la falaise.
— Mais on n'y voit rien !
— J'ai une torche. »

Antoine chargea sur son épaule l'énorme sac et conseilla à Marine de prendre un pull et une paire de chaussettes supplémentaires. Après quoi il verrouilla la voiture, alluma sa lampe et commença à grimper. Marine le suivait, mettant ses pas dans les siens, attentive à ne pas déraper sur des cailloux trop ronds ou glissants. Arrivé au sommet, Antoine balaya le paysage d'un pinceau de lumière :

« Regarde comme c'est beau !
— Attention avec ta lampe, plaisanta-t-elle, les chalutiers vont te prendre pour un phare et venir s'écraser sur les rochers. »

Étretat, comme toutes les villes à cette heure-ci, s'apprêtait à célébrer la Nativité dans les églises ou les salles à manger selon le degré de ferveur des habitants.

Les maisons étaient trouées de lumières inhabituelles à cette heure tardive. Bientôt, le carillon appellerait les fidèles à la messe de minuit. Les odeurs d'encens rivaliseraient avec celles de la dinde ou de l'oie rôtie, la fumée des cigares et les vapeurs d'alcool. Marine se réjouissait d'échapper à ces fastes et eut soudain envie de passer la nuit sur la falaise plutôt que de redescendre dîner en ville. Elle s'approcha d'Antoine.

« Au-delà du petit pont, il y a une sorte de blockhaus. Si on y allait ?

— Non, fit Antoine, je le connais, il est plein de détritus et sent mauvais. J'ai bien mieux à te proposer. »

Il se pencha, déposa son fardeau et en ouvrit la fermeture à glissière. À l'intérieur, il y avait une sorte de toile métallisée légère qu'il déplia comme un parachute tout en expliquant :

« C'est une tente de survie spéciale "Pôles". On pose sur le sol un tapis ultra-isolant et on y fixe à l'aide d'un simple Velcro cette tente qui est légère, imperméable, coupe-vent et surtout très isolante grâce à une doublure isotherme. Je l'ai trouvée dans un magasin spécialisé : il paraît qu'avec ce matériel on peut camper jusqu'à – 30°. Nous sommes loin du compte, il doit faire à peine – 2 ou – 3°. Ça va être le grand confort ! »

Tout en parlant, Antoine montait la tente qui avait l'allure d'un vaisseau spatial argenté. Il invita Marine à y pénétrer et elle dut convenir qu'il y régnait une température tout à fait convenable. Elle enleva même son anorak et s'assit sur le tapis de sol épais comme un futon. Antoine entra à son tour et ferma hermétiquement la tente. De son sac qui ressemblait à un pochon dégonflé, il sortit deux duvets et un carton.

« Presque minuit, il va être temps de réveillonner. Voici le menu : carpaccio de coquilles Saint-Jacques au citron vert et à l'aneth. Je les ai préparées cet après-midi, elles sont toutes fraîches. Civet de noix de chevreuil aux cèpes, fromage et gâteau au chocolat. Le tout arrosé de champagne en début et en fin et de brouilly au milieu. Qu'en dis-tu ?

— C'est Byzance ! Mais comment vas-tu réchauffer le chevreuil ?

— Magique, tu vas voir. »

Il lui désigna deux sachets de plastique épais.

« Chaque sachet contient une part de chevreuil très bien cuisiné, je l'ai déjà testé. Tu vois cette pastille métallique au coin du sachet ? Il suffit d'appuyer fortement dessus pour déclencher une réaction thermique qui produit suffisamment de chaleur pour réchauffer le plat. Génial, non ? Le même système existe pour des genouillères et des collerettes chauffantes destinées aux rhumatisants. »

Marine regarda Antoine, stupéfaite :

« Mais où vas-tu chercher tout ça, avec ton air de toujours être ailleurs ?

— Justement, répliqua-t-il, je suis à l'affût de tout ce qui peut me permettre d'être ailleurs. »

Il déboucha la bouteille de champagne, emplit deux flûtes :

« Joyeux Noël, Marine.

— Joyeux Noël, Antoine. »

Leurs regards se croisèrent à travers les bulles. Marine eut à nouveau la certitude qu'Antoine était son lieu magique près duquel elle pourrait mourir à l'instant même sans un regret. Il dut avoir une pensée voisine car il parut soudain lointain, rêveur, et passa rapidement la main sur son visage comme pour se réveiller. Ils burent en silence, accablés de bien-être.

Antoine piqua une lamelle de coquille Saint-Jacques dans le bol hermétique qui leur tenait lieu de saladier et la tendit à Marine. À son tour elle le fit manger. Ils évoquèrent leur commune chasse aux filets d'anchois, un jour lointain qui n'avait guère plus d'une semaine et leur semblait vieux de dix siècles. Marine décrivit à

Antoine la gloutonnerie des étoiles de mer et la danse d'amour des poissons Garibaldi, bons amants et bons pères, chose rare dans le monde aquatique.

« Je me demande d'où vient leur nom... Peut-être de leur éclatante couleur rouge ? »

Antoine lui raconta ses essais hasardeux de couleur. Comment il avait un jour, pour retrouver le bleu exact d'une fenêtre délavée aperçue en Grèce, mélangé des produits chimiquement incompatibles.

« J'ai finalement réussi à reproduire la nuance exacte de ce bleu usé par le soleil et les intempéries, une merveille. Malheureusement, mon mélange dégageait des vapeurs toxiques que le client ne supportait pas. J'ai dû tout décaper, sous peine d'un procès pour empoisonnement ! »

Bref, ils parlèrent de tout et de rien, de faits sans importance, de broutilles, d'images saisies par l'un ou l'autre, de mots entendus ici ou là que la magie de l'instant parait d'un éclat insolite. Marine offrit à Antoine la photo encadrée du Père Noël qu'il suspendit aussitôt à la paroi de la tente à l'aide de son lacet de chaussure. Il avait déniché pour elle un minuscule kaléidoscope en bois comme s'il avait su qu'elle les collectionnait depuis l'enfance.

Ils eurent aussi plaisir à se taire, à écouter le fracas des vagues d'hiver qui battaient la falaise juste audessous d'eux et se demandèrent s'ils étaient les seuls campeurs de Noël au monde ou si d'autres avaient eu de semblables envies.

« Certains doivent passer les fêtes dans un sous-marin nucléaire...

— Ou une capsule spatiale.

— Dans un temple maya...

— Un couvent de trappistes...

— Un palais de maharadja...

— Sous les palétuviers...

— Sous l'évier !

— Mais aucun ne les passe comme nous sur la falaise d'Étretat, acheva Antoine. Viens, on va vérifier.

— Avant le gâteau au chocolat ?

— Parfaitement, ça nous redonnera de l'appétit. »

Ils rampèrent à l'extérieur de la tente et furent saisis par le froid glacial. La nature profitait de la nuit pour reprendre ses droits. La mer avait forci, les vagues venaient à présent cogner les rochers sans aucune retenue. Un brouillard givrant s'emparait du sol, transformant le moindre brin d'herbe en pique acérée. En bas, sur la ville, les lumières s'éteignaient les unes après les autres, rompant le dernier lien qui les unissait aux humains. Ils n'auraient pas été surpris de voir surgir des esprits dansant sur les crêtes et se sentirent soudain surnuméraires.

« Je crois qu'on est de trop, murmura Marine.

— Oui, souffla Antoine, laissons l'univers tranquille. »

Ils retrouvèrent avec bonheur la chaleur de la tente. Marine retira avec précaution l'algue qu'elle avait gardée autour du cou pendant le dîner et s'enroula tout habillée dans son duvet. Antoine lui tendit une part de gâteau. Il déboucha la seconde bouteille de champagne, qu'ils burent au goulot en quelques minutes.

« Heureusement qu'on n'a pas à se lever pour aller dormir, balbutia Marine, je crois que je ne tiens plus debout. »

Antoine rassembla les reliefs du repas dans le carton et se glissa à son tour dans son duvet. Il éteignit la lampe torche et s'allongea tout contre Marine. Les yeux ouverts dans le noir, il écoutait battre son cœur et se sentait si bien que c'en était presque inhumain. Leurs deux têtes se touchaient, leurs corps se devinaient à travers le tissu matelassé. Marine ne bougeait pas, osait à peine respirer tant elle craignait d'être maladroite. Antoine respira profondément, puis se tourna vers elle. Dans l'obscurité, il chercha son oreille et chuchota très vite :

« Le *Concerto n° 1*... maman me l'avait offert pour mes sept ans. »

Puis il s'endormit d'un seul coup, la tête au creux de l'épaule de Marine, un bras posé sur sa poitrine.

Au réveil, ils se dépêchèrent de se lever et de tout ranger dans la voiture puis partirent très vite. Ni l'un ni l'autre ne prononça un mot pendant les deux heures qui suivirent, dans l'espoir improbable que le silence retardât un peu leur retour à la réalité. La voiture, heureusement, connaissait le chemin. Elle emprunta spontanément l'autoroute et trouva toute seule la sortie adéquate. Elle les conduisit au ralenti dans un Paris engourdi d'agapes, jusqu'en bas de l'immeuble. Ni Antoine ni Marine ne souhaitaient atterrir. À défaut de parachute, Marine cherchait en vain dans sa tête l'une des phrases magiques de sa mère censées conjurer les situations les plus désespérées, mais aucune ne pouvait la convaincre de revenir au monde. Antoine n'essaya même pas. Ils prirent l'ascenseur en silence. Ce n'est qu'une fois à l'abri dans le studio qu'ils purent à nouveau se regarder en face et sourire.

19

« Du foie gras, des huîtres, de la dinde aux marrons, plateau de fromages et bûche à la crème, énuméra Madeleine tout en essuyant d'un revers de main le pare-brise embué. Oui, à la crème au beurre, même pas une bûche glacée ! Ils ne m'ont rien épargné.

— Pauvre maman ! J'aurais dû venir te soutenir dans l'épreuve.

— Penses-tu ! Tu aurais été malade et de toute façon ta présence n'aurait pas allégé le menu. Au contraire, ils auraient été capables de rajouter un plat au motif que : "Les jeunes, faut que ça mange !" »

Elles éclatèrent de rire. Marine observait sa mère tandis qu'elle conduisait. Madeleine se tenait droite et souple contre le dossier, les bras à peine fléchis, les yeux très mobiles passant du rétroviseur extérieur à la route face à elle. Elle était venue chercher Marine à la gare de Poitiers et toutes deux avaient décidé de poursuivre jusqu'à la mer.

« À part manger, qu'avez-vous fait à ce réveillon ?

— On a bavardé, parlé des enfants, du nouveau proviseur, du prochain chantier archéologique... M. Girodet est un pilier du club depuis sa retraite. Très actif et d'une culture extraordinaire. C'est un plaisir de partir en fouilles avec lui. Avec un bout de poterie, il fait revivre une époque.

— Et au lycée ?

— Ça va, sourit Madeleine. En fait, j'ai souvent l'impression que ce sont les profs davantage que les élèves qui auraient besoin d'un psy. On me demande parfois d'intervenir pour résoudre un problème d'élève en difficulté, et je découvre que c'est le prof qui a des comptes à régler avec l'institution ou avec lui-même.

— Dommage pour l'élève...

— Oui... Bien qu'il ne faille pas non plus accabler les enseignants. À leur décharge, on les a privés de toute autorité et de toute possibilité de sévir. Les gamins le savent et ils ont un sentiment d'impunité. Et puis il y a tellement de façades, tellement de non-dits ! Aux réunions de pédagogie, il m'arrive d'être gênée par le hiatus entre ce qu'ils disent et ce qu'ils m'ont avoué en tête à tête. Va comprendre ce que les gens ont dans le crâne. Eux-mêmes le savent-ils ? »

Marine ne répondit pas. Elle pensait à Antoine. Elle avait quitté le studio tôt le matin sans le réveiller, à sa demande.

« Je n'aime pas les au revoir, je préfère les départs brusques : me réveiller et m'apercevoir que tu n'es plus là. »

Elle s'était retenue de lancer :

« Comme ta mère ? C'est depuis que tu es comme ça ? »

Il aurait rétorqué, l'air innocent : « Comme cela quoi ? » Et elle n'aurait su que répondre. Définit-on un air absent, une façon de frôler la réalité sans y entrer, une connivence quotidienne avec l'imaginaire ? Les eût-elle définis qu'Antoine aurait pu immédiatement répliquer qu'il se levait sans faute chaque matin, travaillait comme tout un chacun, déjeunait dans une brasserie ordinaire et payait normalement ses impôts. Bref, que rien dans son existence ne le distinguait des dizaines de personnes qu'elle croisait chaque jour. Elle lui aurait asséné en retour son obsession du trompe-l'œil, sa solitude presque totale, sa capacité à se taire, son absence de désir. Cette joute n'aurait eu en fait aucun sens, si ce n'est celui d'occulter les seules questions importantes : « Pourquoi suis-je avec toi ? Pourquoi restes-tu chez moi ? D'où vient cette réciproque fascination ? » Ils n'avaient même pas l'amour pour se justifier, bien que Marine se demandât de plus en plus si l'amour ne résidait pas dans chacun de leurs gestes et de leurs regards, finalement plus prégnants qu'une étreinte.

« Tu es bien songeuse, fit Madeleine qui depuis quelques instants observait sa fille à la dérobée.

— Oui, c'est vrai.

— Je peux quelque chose pour toi ?

— Je ne pense pas, si ce n'est m'emmener voir la mer et manger plein de coquillages. J'ai une envie géante d'huîtres et de tourteaux ! Avec un petit charentais bien frais, ce serait le Nirvana.

— Veux-tu qu'on pousse jusqu'à La Rochelle ?

— Oh oui ! Si ça ne t'ennuie pas de conduire. »

Elles arrivèrent à 13 heures, midi solaire. Le soleil d'hiver au zénith ressemblait dans le ciel à une pastille de menthe, mais se reflétait sur les vagues en éblouissant plateau d'argent cerné d'écume. Comme toujours, Marine reçut cette beauté en plein cœur. Elle se précipita hors de la voiture, cligna des yeux face à la mer et inspira avec jubilation l'air du large. Heureuse.

Il y avait peu de monde dans les rues. Au lendemain de Noël, les enfants essaient leurs jouets, les parents se remettent de leurs agapes. Trêve des confiseurs avant d'affronter le passage à la nouvelle année. Perchées sur le rebord d'une barque de bois rouge quelque peu vermoulue, deux mouettes échangeaient des propos d'après réveillon. Les reliefs des dîners leur avaient semblé moins riches que l'année précédente. Effet de la crise ou obsession diététique ? Leurs cris aigres semblaient exprimer tout le mépris que leur inspirait cette inhabituelle pingrerie.

« C'est marrant, voilà que je comprends le langage des mouettes », se dit Marine sans surprise excessive.

Elle eut envie d'en faire part à sa mère puis se ravisa. Madeleine était capable d'admettre beaucoup de choses, mais pas l'irrationnel sur lequel elle collait très vite une étiquette pathologique conforme à sa formation.

Un calme insolite enveloppait les quais, contrastant avec l'animation estivale dont Marine avait l'habitude. Les écaillers ouvraient leurs coquillages sans enthousiasme, bien persuadés que personne n'en aurait envie aujourd'hui. Derrière le comptoir d'une boutique de vêtements, une vendeuse broyait du noir en se demandant pourquoi diable sa patronne avait décidé d'ouvrir un 26 décembre alors que personne – pas besoin d'avoir fait Polytechnique pour le comprendre – personne n'aurait l'idée de s'acheter des fringues ce jour-là.

Le sentiment d'une présence lui fit lever les yeux. Marine se tenait debout face à elle, souriante.

« Vous désirez quelque chose ? souffla la vendeuse médusée.

— Oui, je voudrais un pull ras du cou en angora jaune poussin taille 40. Auriez-vous cela ? »

Il y avait, et Marine sortit trois minutes plus tard de la boutique, un sac en plastique à la main.

« Joyeux Noël, maman !

— Mais tu m'as déjà envoyé un superbe pendentif !

— Ça ne fait rien, ça me fait plaisir. Et puis, ajouta Marine en riant, j'avais envie que la vendeuse n'ait pas complètement perdu sa journée.

— Tu es gentille...

— Pas du tout, c'est pour l'embêter. Je suis sûre qu'elle n'arrêtait pas de ruminer "Ouais je perds mon temps, ma patronne est cinglée, j'en ai marre de ce boulot" et qu'elle s'apprêtait à gonfler son petit ami toute la soirée avec ses récriminations. Là, terminé. Elle ne peut plus se plaindre et du coup elle va être obligée de trouver un vrai sujet de conversation. »

Madeleine éclata de rire et embrassa sa fille :

« Quel phénomène, ma fille ! Je me demande où je suis allée pêcher un numéro pareil. Si nous allions au restaurant du Saint-Jean-d'Acre ?

— Très volontiers. »

Elles s'installèrent sous la verrière et commandèrent un plateau de fruits de mer pour deux personnes. Leur table d'angle se trouvait tout contre la vitre sur laquelle le patron avait dessiné ou fait dessiner un sapin famélique orné de boules bleues et rouges et de bougies allumées, flanqué d'un bonhomme de neige tenant un balai. Son nez, représenté par une carotte et ses yeux par deux marrons d'Inde concentraient tous les clichés du genre et les limites de la créativité de l'artiste. L'inscription « Joyeuses Fêtes » tracée à la bombe à neige artificielle et cerclée d'étoiles en papier métallisé acheva d'accabler Marine. Elle songea à la décoration qu'Antoine avait réussi à imposer au patron de la brasserie : un paysage d'hiver sans neige, ni Père Noël ni sapin, un marais argenté sur lequel la brume, la lumière à travers les bosquets, l'impression que des animaux se terraient quelque part et les barcasses hibernant sur le rivage coupaient le souffle de tous les convives. Roger, le livreur de bières et sodas, avait résumé l'émotion générale :

« Putain, ah putain, c'qu'elle est belle ta vitrine ! Ça me fait penser à certaines régions que je traverse au petit matin. Tu me croiras si tu veux, mais c'est tellement beau que des fois, quand j'suis pas à la bourre, j'arrête deux minutes mon bahut pour regarder. J'écoute le silence et ça me fait du bien. »

Le marchand de vélos avait renchéri :

« Je suis athée, je dirais même que je bouffe du curé à tous les repas. Eh bien tu vois, mon petit Antoine, quand je regarde ta vitrine, ça me donne plus envie de croire au bon Dieu que toutes leurs conneries de crèches et de cantiques. »

« C'est moche, n'est-ce pas ? murmura Madeleine, qui avait suivi dans le regard de Marine le cheminement de ses pensées.

— Répétitif surtout. Vingt-huit ans que je subis ça chaque année !

— Et moi donc, qui en ai cinquante-deux !

— Oui, mais toi, tu supportes mieux la monotonie que moi.

— Ne te trompe pas d'ennemi, ma chérie, fit doucement Madeleine. La vie est répétitive par nature : chaque jour tu te douches, tu manges, tu te couches. Or tu aimes toujours te doucher, manger et t'endormir, ou disons que cela ne te pèse pas. Ce qui pourrait être ennui ou routine est devenu rituel familier. Si quelque chose ou quelqu'un te semble mortellement routinier, cherche ce que signifie cet ennui, sinon tu tourneras en rond et tu finiras par te dire que plus rien d'essentiel ne peut t'arriver.

— Je me le dis parfois, assez souvent même. J'ai besoin de moments exceptionnels pour aimer la vie. Ce déjeuner avec toi, par exemple, c'est une pépite de bonheur parfait. »

Madeleine ne fut pas dupe. Elle vit deux larmes minuscules au coin des yeux de sa fille et se dit qu'il était urgent de changer de conversation. Mais Marine fut plus prompte :

« Tu sais, je me sens parfois comme une funambule dans ce monde. Tant que j'avance droit devant sans réfléchir, j'arrive à suivre le fil de ma vie. Mais si je regarde autour de moi ou pire, derrière, j'ai envie de tomber.

— Peur de tomber, rectifia Madeleine.

— Non, envie. Envie de tout laisser tomber. C'est bien ce qui me fait peur. Cette attirance pour le vide, ce sentiment que tout ce que j'aime, tous ceux que j'aime vont disparaître, et que rien de ce que le futur propose ne m'attire vraiment. J'essaie de me forcer à regarder droit devant, de me persuader que l'avenir réserve de belles surprises, mais qu'est-ce que je suis tentée, parfois, de quitter ce fil trop prévisible et trop étroit pour moi ! »

Elle conclut sur une boutade :

« La vie, c'est comme une barbe à papa. Au début, c'est doux, moelleux, joli, on en mangerait ! Puis chaque jour lui arrache des filaments dans lesquels on s'empêtre et qui collent, et qu'on ne trouve même plus bons. Mais la vraie angoisse, celle qu'on n'avoue jamais, c'est la certitude qu'à la fin ne reste qu'un bâton à jeter. C'est le contraire du vin : la vie ne se bonifie pas avec les années. »

Elle fut interrompue par l'arrivée solennelle du serveur drivant une table roulante sur laquelle le plateau de fruits de mer à deux étages prenait presque toute la place. L'homme déboucha la bouteille, fit goûter le vin à Madeleine, puis emplit les deux verres.

« Vous pouvez nous donner une carafe d'eau ?

— Bien sûr, madame.

— Et un peu de vinaigre à l'échalote pour les huîtres, s'il vous plaît.

— Je vous apporte cela tout de suite. »

Sans attendre, Marine saisit une huître et l'arrosa de jus de citron :

« Ouille, elle n'aime pas ça !

— Ça prouve qu'elles sont bien fraîches.

— Délicieuses, confirma Marine en gobant l'animal. Au fait, ça voit comment une huître ?

— Tu me poses une colle. Est-ce que ça voit, d'abord ?

— Sûrement. D'ailleurs je suis sûre qu'elle déteste la rondeur éclatante du demi-citron s'approchant d'elle.

— À condition qu'elle ait un hypothalamus pour ressentir des émotions. Tu me rappelles un vieux souvenir. J'étais jeune mariée et je devais faire cuire une langouste. L'idée de précipiter la bête vivante dans l'eau bouillante me révulsait mais ton père m'a dit : "Ma chérie, elle meurt très vite et de toute façon elle ne souffre que si elle a un hypothalamus." Je lui ai demandé si elle en avait un, il l'ignorait. Alors, soulagée, j'ai plongé la bestiole dans la cocotte en me répétant : "La langouste n'a pas d'hypothalamus, la langouste n'a pas d'hypothalamus." À vrai dire, je ne sais toujours pas si elle en a un.

— Je chercherai. Tu sais que je fais des recherches sur les animaux marins pour une encyclopédie ? J'apprends une foule de choses. C'est fou ce que la mer recèle comme organismes bizarres. »

Marine sortit un calepin de son sac :

« Je vais noter pour ne pas oublier : vérifier si la langouste a un hypothalamus et comment les huîtres voient.

— Entre nous, murmura Madeleine, évite de dire aux enfants que les huîtres voient arriver le citron ou que les langoustes souffrent quand on les cuit, tu épargneras bien des drames familiaux. »

Elles accompagnèrent les bulots, les palourdes et les araignées de conversations futiles et délicieuses comme on aime en avoir lorsqu'on est heureux. Cependant, en décortiquant minutieusement une grosse crevette, Marine revint à un sujet plus grave :

« T'ai-je dit au téléphone que je suis tombée sur Anne-Marie dans une manif ?

— Non. Comment va-t-elle ? Toujours travailleuse et militante ?

— Toujours, mais elle a des problèmes avec son jules. »

Marine raconta brièvement, concluant :

« Je l'ai appelée le lendemain et j'ai eu l'impression qu'elle regrettait de s'être confiée à moi. Elle avait remis son masque de citoyenne au grand cœur et m'a dit fièrement : "Tu sais, faut laisser faire le temps, y a pas meilleur remède."

— Elle n'a pas tort.

— Oui... jusqu'à la prochaine tempête. C'est bien de mettre à la cape, mais si elle ne profite pas de l'accalmie pour ravauder les voiles, le bateau conjugal coulera à la prochaine jolie fille qui traversera le champ visuel de Jean-Luc. Ce n'est pas la fille qui est en cause, c'est lui et Anne-Marie.

— Sur ce point, je suis d'accord. Quand le bateau et l'équipage sont solides, ils supportent tous les coups de vent.

— Dis donc, on a la métaphore marine aujourd'hui ! C'est La Rochelle qui nous inspire ?

— Ou ton prénom, qui sait ? Veux-tu un dessert ?

— Oh oui, c'est Noël !

— Tu vois que tu es traditionaliste ! »

Marine fit une grimace affectueuse à sa mère et se réfugia derrière la carte, hésitant entre le moelleux au chocolat et la crème brûlée :

« Prends-en un, je prendrai l'autre, proposa Madeleine. On partagera. »

Elles sortirent de table rassasiées mais légères après un ultime café et firent quelques pas dans les ruelles de la ville, puis sous les arcades. Marine tenait Madeleine par le bras, comme lorsqu'elle était petite, mais à présent, c'est elle qui se penchait pour lui parler à l'oreille :

« On fait quoi, ce soir ?

— De quoi as-tu envie ?

— Poitiers by night, pour les illuminations...

— Elles ne valent pas celles de Paris !

— Justement, je les préfère, elles sont plus intimes. J'ai envie qu'on se balade un peu, puis on ira boire un grog au bar où je reconstruisais le monde avec mes potes. Avant le dîner, je passerais bien un coup de fil à quelques anciens, histoire de savoir ce qu'ils deviennent. J'aimerais aussi passer chez Élodie et chez Simon. Ah ! Il ne faut pas que j'oublie d'aller saluer les Girodet. »

Dans son territoire d'enfance, tout s'enchaînait facilement. Marine n'avait aucun mal à faire des visites, à dire des mots convenus, à embrasser des visages qu'elle connaissait peu ou mal. Tout ce qu'elle vivait d'ordinaire comme une insupportable contrainte se transformait en jeu délicieux : « On dirait que je serais la fille prodigue revenue au pays pour quelques heures, après des années d'errance. » Les salons meublés de lourds fauteuils, les canapés rondouillards et même les canevas au petit point représentant des scènes de chasse à courre ne l'horripilaient pas, au contraire. Ils l'apaisaient comme une quiétude séculaire, tout comme le balancier des horloges qui ornaient les vestibules et l'odeur curieuse d'encaustique et de pommes que Marine retrouvait dans pratiquement toutes les maisons, sans avoir pu élucider ce mystère. Ici, la boulangère l'appelait par son prénom et ne manquait jamais de lui rappeler qu'elle l'avait connue toute petite :

« Tu te souviens ? Tu venais m'acheter des colliers de bonbons après la classe. »

Le cordonnier, une alène entre les dents, lui donnait des nouvelles de sa fille, la meilleure copine de Marine en CM2 :

« Elle tient un magasin d'électroménager avec son mari. Leur gamin vient d'avoir trois ans. Et toi ? Toujours célibataire ? Tu vas finir par ne plus trouver un seul gars ! »

Marine répliquait, riait, expliquait que non, décidément, elle n'avait pas déniché l'oiseau rare. Elle s'amusait sans réticence de ces questions qui d'ordinaire la hérissaient. Ici, il est vrai, les baisers qu'on lui prodiguait étaient sincères et la chaleur de l'accueil non feinte. Un autre monde. Combien lui en faudrait-il pour combler ses désirs contradictoires ?

Elle se tourna soudain vers sa mère :

« Au fait, maman, je te transmets mille bises de Marc. On est allés ensemble à une fête à Paris. Il a l'air en pleine forme et passera sans doute quelques jours à La Rochelle cet été.

— Quelle bonne idée ! Je serai ravie de le revoir !

— C'est drôle, il a dit exactement la même chose à ton sujet. Finalement, vous avez dû être très amoureux l'un de l'autre, non ? »

Madeleine sourit :

« Pourquoi me demandes-tu cela ?

— Pour savoir. J'ai le droit, non ?

— Je n'en suis pas si sûre. Je ne t'ai pas caché mon histoire avec Marc...

— Pas vrai ! C'est moi qui vous ai vus la première !

— Exact, tu as une redoutable mémoire. Disons alors que je n'ai pas nié et que je n'avais d'ailleurs aucune raison de le faire. En revanche, ce qu'il y a entre lui et moi nous regarde.

— Ce qu'il y a... parce qu'il y a encore quelque chose ?

— Il y aura toujours quelque chose, Marine. Le lien qu'on noue avec un homme évolue mais ne se rompt pas. En tout cas, c'est comme ça que je sens les choses. Malgré sa mort, je n'ai pas effacé le lien que j'avais avec ton père. Il fait et fera toujours partie de moi. Ce que Marc et quelques autres m'ont apporté, c'est pareil. Cela ne s'efface pas.

— Tu ne m'as pas beaucoup parlé des autres.

— Ni des autres ni de Marc, ma chérie, parce que cela ne te regarde pas. La vie amoureuse s'appelle vie privée. Ce n'est pas pour rien. »

Madeleine sourit, taquine :

« D'ailleurs, tu ne me parles pas beaucoup de tes amours non plus !

— C'est différent.

— Allons donc ! Tes amours de jeune femme seraient plus importantes et mystérieuses que les miennes ? Qu'est-ce que c'est que cet ostracisme ?

— Non, mais je suis ta fille. C'est normal que je me sente concernée par ta vie amoureuse, parce qu'elle influait sur ma vie quand j'étais petite.

— Raison de plus pour la garder discrète. Les parents doivent assumer eux-mêmes leurs amours et leurs chagrins, et les faire porter le moins possible à leurs enfants. Là, c'est la psychologue qui te parle. »

Marine n'insista pas. Elle se souvint du trouble fugitif éprouvé dans les bras de Marc tandis qu'elle dansait avec lui. Sa mère en serait-elle affectée si elle le savait ?

« C'est curieux, fit-elle après un silence, j'ai réalisé en revoyant Marc que toi et moi avions la même différence d'âge avec lui. Quand j'étais gamine, je le prenais pour un vieux, plutôt de ta génération.

— C'est parce que les années n'ont pas la même signification à chaque âge. Aujourd'hui, Marc aurait plus de chances d'être attiré par une jeune femme comme toi que par une femme mûre comme moi, et je ne parle même pas du moment où j'aurai soixante-dix ans et lui cinquante-huit ! »

Comme d'habitude, Madeleine avait tout compris. Marine pensa pour la dix millionième fois au moins que c'était à la fois une plaie et un bonheur d'avoir une mère psychologue.

20

Sur le chemin du retour, elles eurent envie de boire un thé dans un village engourdi de froid. Pas un passant, pas une voiture ne ridaient l'immobilité de l'air, et malgré l'absence de neige leurs pas semblaient feutrés. La rue principale avait tenté de se donner un air de fête, avec une succession de guirlandes lumineuses espacées tous les trente mètres, constituées d'ampoules faméliques jaunes ponctuées au centre de la guirlande par une étoile rouge ou verte. Décoration à petit budget de commune rurale.

La nuit était tombée, la plupart des boutiques avaient déjà descendu leur rideau de fer. Derrière les volets clos des maisons, des ombres allaient et venaient, masquant fugitivement la lueur bleutée des téléviseurs en marche. L'air sentait le brouillard et le feu de bois. Madeleine désespérait de trouver un bar lorsque Marine lui montra du doigt l'enseigne d'un hôtel-restaurant ouvert.

La salle à manger était déserte, les tables déjà dressées pour le dîner. Le patron, un homme jeune aux yeux clairs, vint prendre la commande. Marine fut frappée par son air las :

« Vous semblez fatigué. Beaucoup de réveillons avant-hier ?

— On a fait deux services pleins, pratiquement jusqu'à l'aube. Notre cuisine est réputée et beaucoup de gens viennent chez nous quand c'est complet à La Rochelle. Je vais vous montrer les menus, vous verrez. »

La carte affichait nombre de spécialités régionales : mouclade, cagouilles en cocotte, gratin de coquilles Saint-Jacques... plus quelques créations originales de la cuisinière.

« Mon épouse », présenta l'hôtelier en tournant la tête vers la jeune femme qui avait surgi de la cuisine. L'arrivante avait les yeux noisette et des boucles châtain autour d'un visage fermé, taciturne. Un physique banal, sans laideur ni beauté, auquel il aurait juste fallu un peu plus d'éclat pour qu'il attirât l'attention. Son mari paraissait plus jeune qu'elle, sans doute à cause de sa carrure adolescente et de son regard naïf, presque enfantin. Tout en disposant les tasses sur un plateau il expliquait :

« Nous avons repris cet établissement il y a deux ans, vous auriez vu dans quel état ! J'ai tout fait rénover pour qu'il soit homologué en deux étoiles et nous mettons l'accent sur la qualité des menus, qui attire une clientèle nouvelle. Tout ça coûte cher, j'ai dû emprunter... Pour payer les traites, nous travaillons plus de douze heures par jour.

— Courageux petit couple, murmura Marine à sa mère, tout en grignotant les sablés maison qui accompagnaient le thé.

— Méritant, c'est vrai, admit Madeleine. Mais je me demande pourquoi ils ont l'air si triste.

— Tu serais gaie, toi, si tu travaillais à ce rythme dans ce bled perdu ?

— Sans doute pas. Tu as raison. »

Une petite fille d'une dizaine d'années entra dans la salle, les cheveux en bataille, une paire de patins à roulettes à la main. Elle embrassa l'hôtelier :

« 'Soir, papa ! Ça y est, j'arrive à patiner jusqu'au bout de la place sans tomber !

— Émilie, dis bonjour aux clients quand tu entres. »

La petite se tourna vers Madeleine et Marine qu'elle dévisagea d'un œil aigu. Son examen ne lui ayant rien révélé d'intéressant, elle monta l'escalier sur un vague « M'dames... ».

Marine demanda à l'hôtelier de lui faire visiter les chambres :

« Cela peut m'intéresser si je viens en vacances avec des amis. »

L'homme décrocha un trousseau de clés et la précéda dans l'escalier. Sur le premier palier, Marine entendit comme des miaulements.

« On dirait un bébé qui pleure.

— C'est notre seconde fille, fit le jeune homme.

— Elle a quel âge ?

— Huit mois. Je n'en voulais pas mais ma femme s'est arrangée pour tomber enceinte.

— Ah bon... »

Ils arrivèrent au second étage. L'hôtelier ouvrit une porte, tourna l'interrupteur et s'effaça pour laisser passer Marine. La chambre comprenait un grand lit et deux lits *single* largement espacés. La salle de bains dans les tons bruns et vieux rose donnait envie de s'y attarder. Marine fut agréablement surprise par la décoration sobre et l'atmosphère apaisante, presque zen, du lieu.

« C'est très réussi, bravo. Vous avez fait du beau travail.

— Il faut bien, soupira l'hôtelier. C'est si difficile de vivre, de nos jours.

— À cause des charges ?

— Bien sûr, on n'arrête pas de payer... »

Marine s'attendait à ce discours. Refrain sempiternel qu'elle n'avait pas envie d'entendre. Il y eut un silence de quelques secondes entre eux, dans la faille duquel le jeune homme s'engouffra :

« Ma femme a fait une dépression il y a quatre ans. Depuis on ne s'entend plus. À aucun point de vue. J'ai longtemps espéré que ça s'arrangerait et puis non. Y a plus rien entre nous. Juste quand j'étais décidé à la quitter, elle m'a annoncé qu'elle était enceinte. Je me demande encore comment ça a pu arriver, tellement peu je l'ai touchée ! Je voulais qu'elle avorte, elle a refusé. Je n'ai pas eu le cœur de l'abandonner avec un bébé. »

L'hôtelier referma la porte. Tous deux descendirent en silence. En bas, Madeleine attendait en feuilletant le journal local trouvé sur le comptoir. Quand elle aperçut Marine, elle saisit son sac :

« Laisse, maman, c'est pour moi.

— Pas question, tu m'as déjà invitée à déjeuner. Je te donne l'argent et tu règles pendant que je vais aux toilettes. »

Marine prit les billets et s'approcha du bar. L'hôtelier tapa la note sur une caisse enregistreuse antique, qui s'ouvrit avec un bruit de flipper maltraité. Il lui rendit la monnaie avec un curieux sourire :

« Bonne route. Et bonne année, avec un peu d'avance.

— Merci. Et à vous, bon courage pour la suite. »

Elle hésita :

« Je vous dirais bien une chose : il ne faut pas vous résigner à être malheureux. Vous êtes encore jeune, vous pouvez vivre autrement

— Je sais. Il faut juste que je me décide. En attendant, je fais avec. »

Dans la voiture, Marine rapporta la conversation à sa mère :

« Sais-tu ce qu'il m'a avoué, juste avant que tu ne remontes des toilettes ?

— Non, dis-moi.

— Le soir, après son travail, il va s'éclater seul dans un club privé, au bourg voisin. À la façon dont il en a parlé, j'ai eu le sentiment qu'il s'agissait d'un club homosexuel. Mon intuition s'est confirmée quand il a ajouté : “Le dimanche, on est fermés. Alors à la belle saison, je vais à la plage avec un ami. C'est ce qui me permet de tenir." Ça doit être étrange de découvrir son goût pour les garçons quand on est marié et père de famille. Pas facile à vivre dans un petit patelin !

— Et sa femme, qu'en dit-elle ?

— Alors là... j'imagine qu'elle ferme les yeux et qu'elle s'en fiche du moment qu'elle garde son mari. Ou alors elle ne sait rien, mais ça m'étonnerait.

— C'est étrange, murmura Madeleine. En entrant dans ce bar on avait l'impression d'un couple bien méritant, bien ordinaire. Fatigué, certes, mais uni. Et derrière cette façade lisse et convenable, que de blessures cachées, que de lézardes ! »

Marine se pencha, embrassa tendrement sa mère :

« Tu l'as dit, c'est le cas de beaucoup de monde. Il n'y a qu'à voir ce que racontent les notaires à propos des secrets de famille qu'on découvre lors de l'ouverture des testaments. Réjouis-toi, ça t'assure une clientèle pour tes vieux jours. Quand tu prendras ta retraite du collège, tu pourras ouvrir un cabinet. Même au fin fond de la campagne, tu trouveras des écheveaux à démêler. »

Elle se cala contre le dossier, réprima un bâillement :

« Si tu permets, je vais faire un petit somme, j'ai un coup de barre. »

Marine ferma les yeux. Il était presque 19 heures. À cette heure-ci, Antoine devait prendre l'apéritif avec la concierge. Adeline Barbaud l'y avait convié, précisant :

« Je ne sais pas dans quel état vous serez. Moi, pas de problème. Ma fille m'a invitée à réveillonner chez elle le 24, mais le 25, je reste toute la journée chez moi, tranquille, et je me couche tôt. J'aurai eu tout le temps de récupérer et je vous sortirai un petit vin d'oranges dont vous me direz des nouvelles. »

Un peu épouvanté à cette perspective, Antoine avait néanmoins accepté.

« Et avant l'apéro, que vas-tu faire de ta journée ? avait demandé Marine.

— Pendant que tu seras chez ta mère ? Je rendrai visite à ma vieille.

— Ta vieille ? Mais je croyais...

— Ma vieille, ce n'est pas de la famille. C'est une dame de quatre-vingt-quatre ou quatre-vingt-cinq ans, peut-être moins, peut-être plus. Par coquetterie, elle prétend qu'elle n'a plus de papiers depuis l'exode russe de 1917. Elle a habité cet immeuble très longtemps et vit à présent dans une maison de retraite, à une centaine de kilomètres. Je lui ai promis de passer la voir avant le Nouvel An. Comme elle est presque aveugle, je lui lis les journaux. Elle aime la presse de cette période de l'année parce qu'elle prétend qu'on y trouve moins de mauvaises nouvelles que d'ordinaire.

— Comment l'as-tu dénichée ?

— Je l'ai aidée un jour à monter un carton de bouteilles d'eau qu'elle essayait de hisser seule, à plus de quatre-vingts ans. Elle m'a fait entrer dans son appartement, un véritable capharnaüm ! Des tentures brodées, des bibelots partout, des tapis, des centaines de livres reliés en russe... Elle s'était construit un monde slave dans lequel elle évoluait très à l'aise alors que, m'a-t-elle avoué un jour, elle est native d'Aurillac et cent pour cent française. Je suis entré dans son délire et nous sommes devenus amis. Quand elle n'a plus su marcher sans aide, ses enfants l'ont placée en maison de retraite. Ils ne vont pas souvent la voir.

— Et toi ?

— J'y vais à chaque changement de saison, parfois un peu plus. Elle qui depuis des lustres n'avale presque rien commande alors d'un air royal un thé et des gâteaux à la directrice de l'établissement, puis me raconte des souvenirs réels ou inventés. »

Marine fut surprise de découvrir cette vieille dame dans l'univers d'Antoine. Avec la concierge, le patron de la brasserie et ses serveurs tunisiens qui semblaient bien l'aimer aussi, plus la boulangère et le marchand de vélos, il disposait finalement d'un réseau de relations étonnamment dense pour un fervent solitaire, auquel il fallait rajouter ses amis brésiliens, Grigoritos le Grec et peut-être d'autres dont il ne lui aurait pas encore parlé.

Il faisait nuit noire quand Madeleine et Marine arrivèrent à Poitiers. Chemin faisant, elles avaient continué à bavarder, la chaleur et l'obscurité de la voiture favorisant les confidences. Pourtant, en la quittant le lendemain, Marine réalisa qu'elle n'avait pas soufflé mot d'Antoine à sa mère.

21

Un bruit de chariot dans le couloir la tira d'un demi-sommeil, à moins que ce ne fussent les relents de soupe tiède. Fichue soupe, sans sel et toujours trop chargée en céleri. Elle détestait le céleri. La vieille remua le bras droit, tenta de s'appuyer sur un coude pour se hisser plus haut sur l'oreiller. Les draps étaient froissés sous elle, ils faisaient des plis qui lui meurtrissaient le dos. Avec l'âge, il lui semblait que ses sens s'étaient exacerbés, sauf la vue. Elle était plus violemment agressée par les odeurs et les bruits, et les sensations tactiles traversaient sa peau fine et parcheminée avec beaucoup plus d'acuité qu'autrefois, tandis que ses yeux fatigués percevaient de moins en moins les images :

« Bah, soupira-t-elle, pour ce qu'il y a à voir. »

Elle ouvrit les yeux. Même bien calée par l'oreiller comme elle avait fait l'effort de s'installer, il n'y avait franchement pas de quoi crier au miracle. Face à elle, la fenêtre ouvrait sur un bout de ciel gris traversé en diagonale par une ligne noire. Longtemps, disons durant tout l'hiver passé, elle s'était demandé pourquoi le ciel était ainsi rayé de noir, sans oser poser la question à personne : *Monsieur, madame, pourquoi le ciel a-t-il une rayure noire ?*

Vous imaginez la tête du médecin, de l'infirmière ou du kinésithérapeute qui se relayaient à son chevet pour justifier l'allégation de « suivi médical » grâce à laquelle l'établissement imposait des tarifs prohibitifs ? Ils l'auraient prise pour une folle, ou, pire, auraient voulu la rassurer avec des mots qui font mal : *Il n'y a rien, madame, calmez-vous, reposez-vous.*

Plus elle était vieille, plus elle passait de temps au lit, plus on lui enjoignait de se reposer.

« Ce n'est pas possible, je vais finir par croire que vous voulez m'entraîner au repos éternel ! » avait-elle plaisanté un jour pendant sa séance de rééducation. Le kiné, un garçon musclé au visage épais, avait pâli sous son bronzage et esquissé un sourire mal à l'aise. Visiblement, il ne goûtait pas cet humour :

« Ne dites pas des choses pareilles, madame, il faut garder le moral. »

La vieille s'était retenue de lui cracher à la gueule. Le moral ! Il en avait de bonnes, ce gamin ! Que signifie le moral lorsqu'on vit ses derniers jours, semaines ou mois allongée sur un lit ou agrippée à un fauteuil, avec devant les yeux cette sempiternelle bande de ciel dont il n'est même pas possible de cerner les variations saisonnières tant elle est étroite. Le moral est tourné vers l'avenir. Son avenir à elle était si limité qu'elle préférait s'en tenir au présent. D'ici quelque temps, elle le savait, on la transférerait à l'étage du dessous, le service des « fins de vie », dernière étape avant les casiers frigorifiques du sous-sol.

La vieille ne s'en effrayait pas, ne s'en réjouissait pas non plus. En revanche, elle campait fermement sur ses principes, beaucoup plus importants que le repos pour rester vivante et invectivait le personnel qui les enfreignait : interdiction de l'appeler « mémé », « grand-mère » ou tout autre terme débilitant quand il est employé par des adultes qui n'ont rien à voir avec votre famille et se plaisent ainsi à souligner que vous entrez dans la fantasmagorie des Chaperons rouges et des méchants loups. Interdiction de lui parler à la troisième personne :

« Alors, on a bien dormi ?

— “On” ne te répondra pas, “on” n’a rien à te dire, sortez de ma chambre et foutez-moi la paix ! »

Le personnel la trouvait « difficile » mais la vieille n’en avait cure. Elle voulait encore exister dans ce monde, se coiffait et se maquillait tous les jours et avait demandé qu’on lui achetât chaque mois un flacon d’eau de lavande naturelle de la meilleure marque. Pour ne pas sentir le vieux.

C’était le plus dur, la vision des narines pincées de ses arrière-petits-enfants lorsqu’ils se penchaient pour l’embrasser. Elle le savait bien qu’elle sentait le vieux, cette odeur écœurante et douceâtre de traces d’urine, de poudre de riz et d’haleine gâtée par des dents plus tellement performantes et surtout le système digestif qui allait avec et refluait plus souvent qu’elle ne l’aurait souhaité. Odeur des rides aussi, et des cheveux qui se font poussière. C’était une sensation bizarre de les sentir s’émietter entre les doigts, d’en retrouver de minuscules fragments sur son oreiller, comme des grains d’argent dépoli. À force, la vieille avait appris à vivre avec son odeur mais elle avait du mal à supporter celle des autres pensionnaires. C’est dire si elle comprenait la réticence des bambins qu’on poussait vers elle :

« Embrasse mamie, mon chéri. »

Le chéri embrassait dans le vide, très vite, et s’essuyait furtivement la bouche, jusqu’à cinq ou six ans. Plus âgés, ils n’osaient plus, mais la vieille avait bien remarqué comment ils évitaient de refermer la bouche et de passer la langue sur leurs lèvres, comme s’ils craignaient d’être contaminés.

Va, petit, tu le seras, songeait-elle en contemplant les joues lisses et les mollets ronds et fermes du bambin. *La vieillesse, c’est contagieux pour tout le monde.*

Il n’empêche, elle se serait volontiers gavée chaque jour de son odeur de miel et de foin coupé, senteurs d’été au parfum de caresses et de baisers qui remuaient en elle de très vieilles images. La plage de Dinard où elle courait, enfant, à la poursuite d'un ballon échappé, le champ de blé où elle s'était abattue comme un oiseau, essoufflée et rieuse et avait offert sa bouche de quinze ans à son premier amour, la brûlure du soleil sur sa peau lorsqu'elle pédalait, légère et court vêtue, pour aller chercher des œufs à la ferme voisine. Toutes ces images gardaient une netteté absolue dans sa mémoire. Les médecins le constatent avec une docte assurance : en vieillissant, on perd la mémoire des choses immédiates mais les souvenirs anciens perdurent. Pour expliquer le phénomène, ils ont échafaudé mille théories scientifiques et étudié les gènes de moult générations de rats de laboratoire au cours d'expériences plus ou moins cruelles, les cons ! Quand la vérité est si simple : à quoi bon garder en mémoire les événements actuels, ces journées toutes pareilles rythmées par les heures des repas, les visites du kiné ou le carillon de l'église ? Rien de très bouleversant, rien qui mérite d'être conservé, alors que le cerveau regorge de tant de merveilles lointaines.

L'après-midi, quand la vieille s'ennuyait, c'est-à-dire bien souvent, il lui suffisait de fermer les yeux pour que sous ses paupières closes affluent les souvenirs, plus nets que ceux d'hier et d'aujourd'hui, avec l'étrange sentiment que cette femme jeune, belle, arrogante parfois comme on sait l'être quand on a le monde à ses pieds, que cette femme, donc, vivait encore en elle. Elle souriait de ses dernières dents naturelles – quand elle était seule, elle retirait la prothèse qui lui irritait les gencives – et parvenait, en évoquant d'anciennes amours, à ressentir entre ses jambes maigres la même émotion qu'autrefois. Elle aurait volontiers glissé la main sous ses draps pour en vérifier la réalité, mais elle craignait toujours que la porte s'ouvrît sur une femme de service ou un médecin.

Cela aussi, elle avait du mal à s'y faire. Que l'âge lui interdise de fermer sa porte à clé sous peine de rameuter la directrice de l'établissement, l'homme de peine et pourquoi pas ? une équipe de pompiers.

« Sonnez si vous avez envie de faire pipi, lui répétait la directrice, on vous aidera à vous lever, mais pour l'amour du ciel, n'essayez pas de sortir seule de votre lit. »

Plutôt crever, avait pensé la vieille en remerciant la brave femme pour son obligeance. Dût-elle souffrir mille morts, et elle en souffrait tant ses os perclus d'arthrite avaient du mal à se mouvoir, elle se lèverait seule pour aller dans la salle d'eau jusqu'à ce qu'une chute plus mortelle que les autres la laisse définitivement sur le carreau.

» Tu vois, dit-elle à Antoine, je m'accroche à la tête du lit, comme cela, je me hisse à la force du poignet, et hop ! j'arrive à m'asseoir. Il ne me reste plus qu'à me tourner vers l'extérieur, je laisse pendre mes jambes, je glisse peu à peu et quand mes pieds touchent le sol, mes fesses quittent le matelas et je me retrouve debout. Dieu merci, je ne souffre d'aucun vertige. Une fois debout, je suis capable d'aller au bout du monde, à condition d'y mettre le temps. Un jour, conclut-elle en riant, je n'aurai plus assez de temps, alors il faudra que je rétrécisse encore davantage mon univers. »

La vieille aimait bien Antoine, qui lui rendait plus souvent visite que n'importe lequel de ses quatre enfants.

« Quand je me suis mariée, lui confiait-elle, j'ai eu des enfants parce qu'on ne savait pas ne pas en faire. Au quatrième, je n'en pouvais plus de ce destin de vache en gésine et j'ai demandé au médecin accoucheur de m'enlever ce qu'il fallait pour me stériliser. J'ai eu de la chance, ou de l'autorité peut-être, il a accepté et mon mari n'en a jamais rien su. Figure-toi que j'avais dit à ce cher époux : "Quatre enfants, c'est assez, je n'en veux plus." Et lui, fat comme tous les hommes de cette époque, m'avait assuré : "Ne craignez rien, ma chérie, je prendrai les précautions nécessaires." C'est avec ces précautions que j'avais subi mes quatre précédentes grossesses ! Comme je n'ai plus jamais été enceinte – et pour cause –, mon mari était démesurément fier de sa maîtrise et clamait à qui voulait l'entendre que les hommes incapables de se contrôler étaient des sots. »

La vieille saisit la main d'Antoine qui ne tressaillit pas au contact de sa peau de lézard. Elle susurra, les yeux malicieux :

« Ah, la maîtrise des maris ! Il y aurait une thèse à écrire dessus, avec les témoignages de leurs épouses frustrées. Heureusement que j'ai compensé ailleurs. Mon mari n'était pas un mauvais bougre, mais tellement prosaïque, tellement prévisible ! Par chance, j'ai vécu de somptueuses histoires, très romanesques, qui m'ont donné la force d'élever mes enfants et de faire mon devoir. *Bouchka*, tu es le seul à qui je peux confier ce genre de choses. Imagine l'affliction de mes enfants s'ils apprenaient que leur mère a été une ardente amoureuse ! »

La vieille appelait Antoine « *Bouchka* » et s'amusait à lui parler en roulant les « r » avec une affectation de comtesse russe. Antoine entrait dans son jeu sans réserve bien qu'elle n'eût pas une goutte de sang slave dans les veines :

« Peu importe, avait-il dit à Marine, elle mériterait d'être russe. Elle a comme eux le sens de la démesure et de la folie élevées au rang d'un art. »

La vieille lui décrivit la visite de sa famille le jour de Noël :

« Imagine le tableau, *Bouchka* ! Ils frappent et entrent aussitôt l'un derrière l'autre sans attendre que j'aie crié "Entrez !". Il y a d'abord mes quatre enfants, déjà vieux : ma fille aînée a soixante-trois ans, les jumeaux soixante-deux et la petite dernière cinquante-neuf. Ils sont engoncés dans leurs manteaux, leurs cache-nez et leurs toques de fourrure, les bras chargés de paquets. Quand ils entrent, une bourrasque froide pénètre avec eux. Ça sent le chien mouillé car leurs pardessus humides puent et mon fils aîné, ce rustre, fume la pipe. Un tabac gris immonde ! Il a beau l'éteindre bien avant d'arriver, l'odeur traîne dans ses cheveux et ses vêtements. Derrière ma benjamine viennent les six petits-enfants et les trois arrière-petits-enfants. Mes gamins n'ont été ni prolifiques ni précoces, heureusement, sinon ma chambre ne contiendrait pas toute la famille. Je t'ai raconté la dernière fois la cérémonie du baiser à l'aïeule, leur air dégoûté quand ils effleurent furtivement ma joue. Eh bien à peine m'ont-ils embrassée qu'il y en a un pour dire : "On ne reste pas longtemps, mamie, il ne faut pas te fatiguer." Tu te rends compte ? Ils viennent une fois par an en commando groupé pour se donner du courage, et ils n'ont même pas le flan de rester vingt minutes, ces chiens jaunes ! »

Antoine adorait les expressions de la vieille dame, cet argot personnel et imagé qui ne détonnait jamais dans sa bouche pourtant fort bourgeoise. Elle appartenait à cette race de personnes capables de proférer des énormités avec classe, quand d'autres sont vulgaires en vous serrant simplement la main. Elle tourna vers Antoine un visage un peu crispé :

« Veux-tu m'aider à me redresser, s'il te plaît, j'ai les cuisses endolories. »

Il aimait sa façon sans détour de nommer ses fesses, ses cuisses, son dos, son ventre, comme autant d'amis familiers, sans rancune pour ce corps qui se dérobait.

« Souvent, avait expliqué Antoine à Marine, les vieux parlent de leurs douleurs, de leurs escarres, de leurs vertiges, mais tout cela reste éthéré. Elle, elle continue à fréquenter son corps. Sans enthousiasme et parfois même avec haine – elle l'engueule quand il ne répond plus à ses sollicitations –, mais elle lui conserve une existence. »

Antoine souleva la vieille par les aisselles. Elle était légère comme une plume. Il l'aida à s'installer plus confortablement, fit gonfler son oreiller, arrangea ses cheveux. La vieille remercia Antoine d'un sourire et reprit son récit avec jubilation :

« Écoute, *Bouchka*, le départ de la Sainte Famille. Avant de s'éclipser, ils ouvrent les paquets. Ou plutôt ils me les tendent et je fais semblant d'avoir du mal à défaire les rubans. Je mets les doigts en crochet, comme ça, un peu chevrotants, façon sorcière ou maladie de Parkinson. Tu verrais leurs têtes ! Ils se projettent dans vingt ans aussi infirmes que moi et ne le supportent pas. Surtout le jour de Noël. Je ne devrais pas le faire, mais c'est plus fort que moi, j'ai toujours été facétieuse. Ça leur apprend la vie. Alors donc, ils ouvrent mes paquets et je découvre leurs trouvailles. Crois-moi, c'est un vrai mystère que leur intelligence, somme toute normale, puisse ainsi déraper dès qu'il s'agit de choisir un cadeau pour une vieille. Mon *Bouchka*, même si la vie te semble lourde parfois – ne proteste pas, je sais que ton regard n'est pas celui du bonheur –, essaie de tenir assez longtemps pour vivre cela.

» L'an dernier, ils m'ont apporté une boîte à musique serinant inlassablement "Petit papa Noël", une véritable incitation au meurtre ou au suicide, plus un éléphant de porcelaine rose parfaitement inutile, sans même une fente qui l'aurait transformé en tirelire. Cette année, j'ai eu droit à des chaussons en fourrure alors que je ne pose le pied à terre que pour aller faire ma toilette dans une pièce chauffée par le sol, plus un cadre avec des photos de toute la famille. C'est le seul cadeau qui m'ait plu. Sais-tu ce qui m'aurait fait plaisir ? Un walkman avec de la musique de Liszt et de Chopin interprétée par Samson François, que j'adorais quand j'étais jeune. Ou alors des livres enregistrés par de bons comédiens, parce que j'adore lire et n'ai plus d'assez bons yeux pour le faire longtemps. C'est simple, non ? Mais il semble qu'offrir un walkman à une octogénaire ne leur vienne pas à l'idée. »

La vieille essuya quelques larmes de rire et de rage :

« Que veux-tu que je fasse ? Je remercie chaleureusement et c'est à mon tour de distribuer mes cadeaux, un chèque d'étrennes pour chacun, en regardant lequel sera le plus prompt à le fourrer dans sa poche. C'est toujours Emmanuel, le dernier de mes petits-fils, un vrai rapace. Tout de suite après ils me quittent après avoir allumé la télévision que je ne regarde jamais, tiré les rideaux alors que j'aime recevoir la lumière du dehors et recommandé une fois de plus de me reposer. Et voilà. Fini pour un an. Dire qu'on m'avait juré qu'avec une famille nombreuse j'aurais le bonheur de ne pas vieillir seule ! »

La vieille remua ses épaules engourdies dont les articulations craquèrent aux entournures. Elle étendit le bras gauche sans même tourner la tête, saisit à tâtons une boîte de cachous. Elle s'en fourra deux dans la bouche, histoire de purifier son haleine et regarda la lumière du soir traverser la chambre avec une majesté qu'elle ne put s'empêcher de trouver inutilement théâtrale. À sa demande, Antoine avait ouvert grand les rideaux avant de s'en aller. La vieille adorait les couchers de soleil, mais après avoir admiré dans sa vie tant de crépuscules flamboyants sous des latitudes tropicales ou méditerranéennes, ceux qu'elle apercevait de son lit semblaient cruellement ordinaires. Dans l'obscurité rampante, la rayure noire tranchait à peine sur le ciel gris. Un jour d'avril, cette rayure s'était animée de couleurs : une petite culotte rose, un soutien-gorge marine, un tee-shirt blanc. La rayure noire n'était qu'une corde à linge tendue entre deux piquets, que le rectangle étroit délimité par la fenêtre lui rendait invisibles.

Il lui avait fallu six mois pour avoir la réponse à sa question, le temps que le climat plus doux autorise le séchage du linge en plein air. Dans ses années de splendeur, elle n'aurait pas toléré plus de six secondes entre une question et sa réponse. Cette infinie patience, c'était aussi cela, vieillir.

22

« Alors, ta vieille t'a raconté ses amours d'antan ? » questionna Marine dès qu'elle retrouva Antoine.

Le jeune homme opina, amusé :

« Absolument ! Elle m'a confié des histoires fantastiques que je vais m'empresser de te raconter. Installe-toi sur les coussins. »

Il lui apporta un verre d'eau et des fruits puis s'assit en tailleur sur la moquette. Marine adorait les récits ou les trompe-l'œil qu'Antoine lui proposait chaque soir, comme un sésame ouvrant son monde imaginaire. Après avoir tant redouté la routine, elle goûtait le plaisir des rituels partagés dans cet espace où nul autre qu'eux n'entrait.

« Pour commencer, une merveilleuse histoire d'amour muet. À trente-deux ans, ma vieille, qui paraît-il était très jolie femme, est tombée éperdument amoureuse d'un attaché d'ambassade. Peut-être était-il en réalité instituteur ou marchand de légumes... Peu importe, elle en a fait un diplomate. Elle ne savait comment lui déclarer sa flamme sans passer pour une... comment dit-elle déjà ? Ah oui, pour une gourgandine. Lors d'une réception où elle s'était rendue sans son mari, parti quelques jours, elle s'est arrangée pour être la voisine de table du diplomate et lui a fait croire qu'elle était muette.

Mais, a-t-elle griffonné sur un bout de papier, *je peux vous écrire, y compris des poèmes*. Durant tout le repas, ils ont marivaudé, échangé des billets de plus en plus ardents, et à la fin de la soirée, le diplomate a proposé de la raccompagner chez elle.

— Il est monté boire un dernier verre et ils ont fait passionnément l'amour, acheva Marine, déçue. Elle est un peu courte, ton histoire !

— Mais non, attends la suite ! Ma vieille, alors jeune et belle, a demandé au diplomate d'arrêter sa voiture trente mètres avant chez elle. Elle a ouvert le portail le plus proche et fait mine de sortir ses clés. Dès que la voiture a démarré, elle a regagné sa maison. Le lendemain, l'homme a appelé en se disant que si la jeune femme répondait, c'est qu'elle n'était ni sourde ni muette. Il avait en effet quelques doutes sur son infirmité... Ma vieille a décroché, en se faisant passer pour la servante chargée de transmettre les messages en langue des signes à sa maîtresse. L'attaché d'ambassade a fait dire qu'il souhaitait revoir cette dernière. Il a rappelé le lendemain, puis le surlendemain. Ce manège a duré plusieurs semaines durant lesquelles ma vieille a vécu une histoire comme dans les romans qu'elle adore. »

Antoine fit une pause, se racla la gorge et imita l'accent slave adopté par la vieille :

« Imagine, *Bouchka*, cette délicieuse situation. Je vivais normalement, j'emmenais les enfants à l'école, je cuisinais pour mon mari, et parallèlement je vivais une histoire d'un romantisme échevelé en jouant deux personnages hors du temps. Une comtesse muette qui acceptait un rendez-vous, n'y allait pas, s'excusait, se montrait tour à tour odieuse et passionnée, et sa servante censée transmettre les messages sans commentaires, comme une confidente de théâtre. Le malheureux diplomate a cru devenir fou.

— Il n'a pas cherché à vérifier l'identité de la comtesse ?

— Curieusement non, répondit Antoine de sa voix habituelle. Peut-être avait-il des obligations familiales qui limitaient sa disponibilité. Peut-être n'était-il pas lui-même attaché d'ambassade. Peut-être l'histoire est-elle imaginaire, mais peu importe. Un jour, la comtesse muette a fini par se rendre au rendez-vous fixé dans une auberge en forêt.

— Fin de l'histoire ? hasarda Marine.

— Oui, mais pas décevante pour autant. En effet, cette femme exubérante a poussé le jeu jusqu'à faire l'amour dans le plus grand silence, sans un mot, sans un gémissement...

— C'était même irréaliste, fit remarquer Marine. Les sourds-muets sont capables d'émettre des sons et des cris de plaisir.

— Sans doute, mais cet amour silencieux a bouleversé la jeune femme. "*Bouchka*, m'a-t-elle confié avec dans la voix une émotion bien réelle, dans cette chambre sans autre bruit que nos respirations et le frottement de nos corps l'un contre l'autre, j'étais comme une marmite à vapeur dépourvue de soupape de sécurité. J'ai résisté tant que j'ai pu, mais la pression a monté, monté et l'accident s'est produit : une explosion de plaisir fa-bu-leu-se, un séisme, un raz-de-marée. Comme si d'avoir muselé l'un de mes sens avait exacerbé tous les autres."

— Et le diplomate ? interrogea Marine en riant.

— Il se sentait dans un état d'insécurité totale, car il n'avait aucun repère pour savoir s'il se montrait ou non à la hauteur. Mais comme c'était selon ma vieille un amant d'exception, il lui a prodigué des attentions extraordinaires avec une imagination qui, cinquante ans plus tard, la faisait toujours rosir d'émotion.

— Et toi ? lança brutalement Marine. Quel effet ça te fait, une histoire pareille ? »

Antoine sourit :

« Moi ? J'adore ! sans que Marine pût discerner s'il adorait l'excentricité de la vieille ou la sensualité de son récit.

— Sais-tu d'où lui vient cet amour de la Russie ?
— Pas du tout. Le plus curieux est qu'elle ressemble de plus en plus à une Matriochka aux joues roses et aux cheveux tirés, tu sais, ces poupées gigognes russes en bois peint qu'on rapporte toujours en souvenir ! J'imagine qu'elle n'arrivait pas à exprimer sa démesure dans la peau d'une Auvergnate. Toute sa vie elle a essayé de vivre plusieurs existences en même temps. Elle s'était persuadée par exemple que leur voisin était un agent secret et elle l'a surveillé pendant des semaines. Au bout du compte, estimant qu'il recevait des visites louches, elle a envoyé une lettre anonyme à la police pour le signaler. Eh bien, figure-toi que l'homme n'était pas du tout un espion, mais un escroc. Les flics ont découvert chez lui quantité de fausses factures et de chéquiers volés. Il n'a jamais compris qui l'avait dénoncé.
— Pourquoi t'intéresses-tu à cette vieille dame ?
— Parce que je me sens bien avec elle. Cela me fait plaisir de rompre la monotonie de ses journées et j'adore quand elle me raconte ses histoires, réelles ou imaginaires. Elles lui ont permis de mener une existence normale aux yeux de tous avec une distance et un humour décapants. Disons qu'elle est folle en dedans et normale en dehors.
— Beaucoup de gens sont comme ça.
— C'est vrai, mais la plupart le vivent mal, tiraillés entre le dedans et le dehors. Elle, elle le vit très bien, c'est peu courant. Elle m'apprend. »

Marine suivit des yeux Antoine tandis qu'il se levait pour mettre le *Concerto n° 1*. Après l'avoir agacée, cette monomanie musicale l'apaisait, comme un repère au milieu de ses doutes. Antoine avait minutieusement balisé sa vie d'habitudes immuables. Une fois de plus, Marine se demanda quelle place elle y occupait.

23

L'homme s'étendit à plat ventre sur le divan, un large matelas recouvert d'un patchwork matelassé multicolore. Il tourna la tête vers la gauche, posa sa joue droite sur ses bras croisés et ferma les yeux. Il faisait très chaud dans la pièce, grâce au poêle à bois allumé depuis le matin dont les flammes dansantes dessinaient sur les murs et sur son corps nu des jeux d'ombres et de lumières. La lampe boule posée au sol diffusait une lueur rasante. Au mur, un poster d'Escher montrait un étrange oiseau contemplant sous trois angles différents une planète creusée de cratères. Une odeur d'encens flottait dans la pièce.

Marine frotta ses mains l'une contre l'autre pour les réchauffer. Elle sortit de son sac un flacon d'huile parfumée et s'en enduisit les paumes, puis les doigts, en les massant des ongles jusqu'aux jointures comme on le fait pour enfiler une paire de gants trop étroits. Ses gestes étaient lents et concentrés, son cœur battait vite et fort. Dans sa tête, elle s'efforça de faire le vide pour ne plus penser qu'au corps de l'homme.

Elle effleura de la main droite son dos parfaitement immobile puis glissa sur la peau satinée qu'il lui appartenait désormais d'éveiller. Elle remonta le long de la colonne vertébrale, emprisonna le cou sur lequel elle s'attarda. Elle aimait la soyance duveteuse des nuques, elle embrassait toujours les bébés à cet endroit-là, et cela les faisait rire. Elle se pencha, posa tout doucement ses lèvres puis sa langue sur la nuque de l'homme. Il frémit. Elle s'allongea alors nue contre lui et poursuivit son exploration en suivant des yeux sa main qui lui semblait parfois plus aventureuse, plus impudique qu'elle-même n'eût osé l'être. La main descendit le long des hanches masculines, contourna les fesses et remonta entre les cuisses où elle s'immobilisa. Dans la broussaille tiède des poils, les doigts s'animèrent sur la peau lisse de la verge, qui palpitait au rythme des battements de cœur de l'homme. Là nichait la vie, l'origine du monde. Dans ce pouvoir de la femme d'éveiller le sexe de l'homme.

Grigoritos ne disait rien, à peine sa respiration s'était-elle accélérée, mais sur sa peau couraient des frissons ténus. Il laissait peu à peu se déployer son désir et savourait cette lenteur, avec l'impression d'être attiré irrésistiblement par une spirale exquise d'où il lui serait bientôt impossible de s'échapper. Il se tourna légèrement pour libérer son sexe. La main de Marine s'en empara, remonta le long de la tige dure qu'elle serra dans sa paume pour en percevoir la chaleur avant de reprendre sa nonchalante balade entre les cuisses du Grec.

Elle n'était pas pressée. Elle prendrait tout le temps nécessaire. Elle mouillerait ses paumes de salive pour mieux glisser sur lui, elle goûterait la saveur salée à la jointure de ses bras, lécherait ses poignets, mordrait ses épaules dont elle aimait la densité, humerait son corps de la poitrine jusqu'au bas du ventre et là, dans un désir primitif de fouissement, enfoncerait son visage entre les cuisses viriles.

Grigoritos voulut à son tour la caresser mais Marine murmura :

« Non, attendez. »

Il devait s'abandonner encore, accepter de s'ouvrir à elle comme un territoire inconnu sur lequel elle envoyait ses mains en éclaireurs. Elle voulait prolonger quelques minutes cette célébration où son désir prenait racine avant d'accepter le plaisir des caresses de l'homme, si habiles et tendres fussent-elles. Marine laissa pourtant Grigoritos la serrer contre lui. Leurs jambes entremêlées faisaient penser aux racines géantes des baobabs, si fortement nouées que personne ne s'aviserait de les séparer sous peine de tuer l'arbre lui-même. Enlacés, ils oscillaient tous deux comme la coque d'un navire à l'ancre. Les doigts de l'homme parvinrent à se glisser entre leurs deux corps pour ouvrir les chemins du plaisir de la jeune femme, aller chercher au fond de son ventre les tremblements qui s'y cachaient. Leurs bouches murmuraient des mots d'amour et d'impudeur qui n'avaient de signification qu'en l'instant. Demain peut-être, en y pensant, seraient-ils gênés de leur lyrisme d'alors, mais pour l'heure il leur fallait ces mots, il leur fallait ce lyrisme et ils n'avaient cure du lendemain.

Grigoritos entra en Marine naturellement, comme une évidence, et leurs oscillations se firent plus exigeantes. Il ferma les yeux, Marine le contemplait sans se lasser, tendue à se rompre comme un fil de cristal. Cet homme montrait dans le plaisir un visage concentré, presque douloureux, qui ne se relâcherait, elle le savait, qu'à la seconde où la jouissance lui arracherait un balbutiement enfantin, faisant voler en éclats ses masques habituels. Alors seulement elle pourrait le rejoindre.

La veille, Marine avait appelé Grigoritos en reconstituant de mémoire le numéro de téléphone furtivement aperçu sur sa carte de visite. Le Grec avait décroché dès la première sonnerie :

« Allô, Grigoritos ? Je suis une amie d'Antoine. »

Il avait eu une exclamation surprise, puis s'était repris rapidement. Marine souhaitait le rencontrer au plus vite, Grigoritos proposa de la recevoir dans son bureau. Marine fouilla dans la poche de son manteau, à la recherche d'un papier où noter l'adresse, et retrouva la carte donnée par le grand Noir, le premier matin où elle avait quitté le studio d'Antoine.

« Est-ce que cela vous ennuie si je vous invite plutôt à dîner dans un restaurant africain ?

— Pas du tout. Il est bon au moins ?

— Aucune idée, je n'y suis jamais allée. »

Grigoritos rit. La réponse était exactement celle du genre à lui donner envie d'aller à ce rendez-vous. Il était curieux de voir à quoi pouvait ressembler une amie d'Antoine, alors qu'il ne lui avait jamais connu d'amie. Marine raccrocha d'un air pensif. Assise en face d'elle, Catherine leva les yeux, curieuse :

« Tu en fais une tête ! Ton amant du jour te contrarie ?

— Ce n'est pas un amant du jour, je ne l'ai jamais vu.

— Ah je vois... tu es sur un coup ! »

Marine ne releva pas. Autrefois, piquée au vif, elle répliquait par des allusions provocatrices qui alimentaient les conversations de ses collègues, persuadées que la jeune fille menait une existence débridée. Ce jeu ne l'amusait plus. Pour rien au monde elle ne leur aurait parlé d'Antoine. Ni de qui que ce soit d'ailleurs. Elle préférait désormais le silence, dût-il susciter des commentaires pincés.

Elle avait repris son travail le 28 décembre à un rythme des plus alanguis. La semaine des confiseurs était une semaine de torpeur où rien d'important ne se passait. Le téléphone sonnait peu, les imprimeurs différaient leurs livraisons, l'éditeur lui-même ne reviendrait qu'une fois digérées les agapes du jour de l'An. L'année semblait refuser de mourir et retenait ses ultimes heures malgré la déchirante certitude que cette résistance de dernière minute ne servait à rien. Il en résultait des journées interminables bien que la nuit tombât à peine après 16 heures. Marine usait ses yeux sur des diapositives animalières du monde entier trop violemment éclairées sur la table de visionnage, images devenues fades depuis qu'elle avait goûté aux faux d'Antoine. À midi, elle allait marcher au Luxembourg. Quelques rares promeneurs, mains dans les poches, savouraient le calme inhabituel du parc. Le froid avait au moins cet avantage. Marine retrouvait ensuite le silence du bureau. Elle ne retrouvait de l'énergie qu'en fin d'après-midi, lorsqu'elle regagnait le studio d'Antoine et plongeait dans un bain qui dissolvait son ennui dans des vapeurs parfumées.

Antoine rentrait tard. Après Noël, il lui fallait rendre aux vitrines de fêtes leur aspect habituel et trouver des idées de décoration en prévision de la fête des Rois, la semaine du blanc, la promotion de la choucroute, la foire aux crustacés et autres manifestations susceptibles de souder l'unité nationale. Son retour au studio rendait caduque la morosité de Marine. Elle lui racontait sa journée avec enthousiasme et des détails si drôles qu'il leur arrivait à tous deux d'être pris de fous rires inextinguibles. Marine se demandait comment elle avait pu s'ennuyer le matin même et trouver insipides des collègues que son récit métamorphosait en héroïnes picaresques. Elle s'émerveillait à son tour devant la capacité d'Antoine à transformer la moindre anecdote en hilarante épopée.

Grigoritos sourit en écoutant Marine. Ils s'étaient reconnus immédiatement. Elle parce qu'elle s'attendait à rencontrer une statue gréco-romaine aux yeux verts et ne fut pas déçue. Lui parce qu'il avait perçu dans la jolie voix demandant au patron du restaurant africain : « Êtes-vous le frère du monsieur qui fait signer des pétitions dans la rue ? » un ripage en *ut* mineur caractéristique des goûts musicaux d'Antoine.

Le grand Noir pétitionnaire servait en salle et reconnut aussitôt la jeune fille vers laquelle il s'avança bras ouverts :

« C'est gentil d'être venue me voir, mais moins gentil de ne pas être venue seule ! »

Il éclata d'un rire contagieux :

« Ce n'est pas vrai, hein, je plaisante ! Monsieur est bienvenu chez Alphonse, le roi du mafé. Allez, je vous offre un apéritif maison !

— Ça marche, les pétitions ? » s'enquit Marine.

Le grand Noir s'assombrit un peu plus, réalisant un exploit peu commun :

« Pas terrible. Les gens courent et ne s'arrêtent pas. Ce doit être ma couleur qui leur fait peur. À moins que ce ne soit le froid. »

Il leur recommanda le tiéboudienne confectionné ce jour avec du véritable capitaine, un arrivage inespéré en provenance de Dakar, ou le bœuf aux piments oiseau « idéal pour la virilité », servi avec des tranches de banane plantain poêlées et une boule de pâte d'igname. Puis il soutira à Grigoritos, qui semblait très informé de ces problèmes, quelques précieux conseils pour obtenir le renouvellement de sa carte de séjour qui arrivait à expiration.

« Félix ! Laisse les clients tranquilles, intima Alphonse en apportant le premier plat. Je vous prie d'excuser mon frère, il n'est pas méchant, mais c'est le roi des palabreurs. Il faut le jeter quand vous en avez marre, sinon il finit la nuit avec vous. »

Marine sourit. Elle se demandait comment allait se passer ce dîner avec Grigoritos et se trouvait soulagée par la volubilité du grand Noir. En appelant la veille, elle avait cédé à une curieuse impulsion, l'envie de voir à quoi ressemblait cet ami qui avait si fort compté dans la vie d'Antoine. Grigoritos dégaina le premier en lui demandant comment diable elle avait rencontré Antoine. Il fut comblé par le récit de Marine, retrouvant dans chaque anecdote, de la chasse au filet d'anchois à leur camping nocturne à Étretat, la façon qu'avait son ami de dérouter l'interlocuteur sans qu'on puisse déceler si la manœuvre était ou non volontaire. Lui aussi avait été sous le charme.

« Il n'y a pas de fil conducteur dans la vie d'Antoine, conclut Marine. Il a fréquenté des amis brésiliens, il a eu vous, il a cette vieille dame excentrique, un copain restaurateur... mais tous ces gens n'ont aucun lien les uns avec les autres, aucune cohérence. Antoine touche à tout sans s'attacher à rien. Il effleure les gens et les choses... Non, il ne les effleure même pas, il les survole, se pose quelques instants puis repart. Je n'arrive pas à le cerner. Il me fait penser à un puzzle dont les pièces seraient dispersées. En quelque sorte j'essaie de les assembler pour comprendre, et je crois que vous en représentez une pièce maîtresse.

— C'est possible. Mais pourquoi essayez-vous de comprendre, de trouver une logique là où il n'y en a peut-être aucune ? Après tout, il vous plaît parce qu'il vous déroute, non ?

— Oui, c'est vrai...

— Moi, c'était pareil », murmura Grigoritos.

Marine leva des yeux interrogateurs. Elle fut à deux doigts de lui poser une question plus intime mais la retint pour en poser une autre.

« Vous aimez toujours “jouer au monde” ?

— Bien sûr, comment vivre sans cela ? Mais j'y joue différemment.

— Trop stressé, plus assez disponible ? »

Grigoritos eut l'air amusé :

« Je vois qu'Antoine a fait sa propagande avec sa propre version des faits. Il n'a pas entièrement tort, mais il ne dit pas tout non plus.

— Alors dites-moi tout.

— Tout à l'heure, quand vous viendrez chez moi. Car vous y viendrez, n'est-ce pas ?

— Bien obligée, répliqua Marine en le fixant sans ciller. Vous savez bien que vous êtes mon "Jouer au monde" d'aujourd'hui. »

24

Grigoritos allongea le bras pour saisir la carafe d'eau fraîche posée près du divan. Il en emplit un verre et le tendit à Marine.

« Merci. »

Un silence s'installa entre eux, paisible. Marine, allongée, laissait le regard du Grec la détailler sans hâte. Elle se sentait sereine comme un pèlerin au terme de son voyage lorsqu'il se prosterne en prières après des semaines de marche dans le désert.

« Si je vous donnais un surnom, ce serait l'amante religieuse, lui dit-il enfin. C'est ce que vous m'évoquez.

— Pour le jeu de mots ?

— Oui, mais surtout pour votre façon de célébrer l'amour. Je ne sais pas trop comment l'exprimer. J'ai eu l'impression - ne riez pas - que votre désir avait quelque chose de mystique, de sacré. Cela m'a beaucoup troublé.

— Je ne ris pas. J'étais justement en train de me dire que je me sentais paisible comme un pèlerin arrivé à destination. Seul le sexuel me donne ce sentiment d'atteindre à l'unité, à une connaissance de moi et de l'autre inaccessible autrement. Quand il est réussi, bien sûr, ce qui n'est pas si fréquent. Cela dit, gare à l'amante religieuse ! Vous savez ce qu'il advient au mâle chez l'insecte...

— Dévoré, c'est vrai. Mais en l'occurrence, c'est vous qui courez le risque d'être dévorée. »

Elle comprit l'allusion, soupira :

« Avec Antoine, je pense ne pas courir grand risque. »

Grigoritos leva un sourcil :

« Il n'a pas changé ?

— Je suppose que non.

— Comment le vivez-vous ?

— Bizarrement. Déroutée, voire déçue la première nuit, avec l'envie de le fuir à jamais. J'ai essayé mais je suis revenue, irrésistiblement attirée.

— Et maintenant ?

— Ambiguïté. Entre désir fou et peur qu'il se réalise. Comme un œuf qu'on casse devient utile mais perd de sa beauté.

— Jolie métaphore. C'est bien ce que je pensais. Cette lancinante attente vous fascine, donc elle vous emprisonne. »

Marine eut une moue ironique. Ce garçon concluait un peu vite et elle n'avait aucune envie de poursuivre cette discussion. Elle s'ébroua :

« Cessons de parler de moi. Racontez-moi plutôt vous. Tout. Pourquoi jouez-vous au monde tout seul à présent ? »

Grigoritos se leva, alla vers un secrétaire dont il ouvrit le tiroir du bas, fermé à clé. Il en tira une enveloppe kraft grand format à l'épais contenu. Puis il revint s'asseoir près de Marine :

« Il y a quelques années, j'ai passé une nuit avec une femme très belle que je ne connaissais pas et que je n'ai jamais revue. Cette jeune femme m'a quitté à l'aube, puis elle est revenue un peu plus tard déposer dans ma boîte à lettres un texte bouleversant. Mille fois plus bouleversant que ce que nous avions vécu. Ou plutôt que ce que j'avais vécu et ressenti. J'avoue avoir eu une réaction stupide, la fierté du mâle flatté d'inspirer un tel lyrisme. Pire, j'ai éprouvé une légère condescendance envers les femmes capables de confondre amour et satisfaction des sens. Dans ma fatuité je les englobais toutes dans ce jugement. J'ai alors eu l'idée, devenue un "Jouer au monde" quasi obsessionnel, de collectionner des lettres de femmes au lendemain d'une nuit d'amour. C'est ainsi que cela s'appelle, même si l'expression me semble à la fois trop restreinte et trop vaste.

» Avant qu'elles ne retournent chez elles, j'ai donc demandé à toutes les femmes avec qui il m'est arrivé de passer une nuit qu'elles m'écrivent. Elles l'ont toutes fait, à deux ou trois exceptions près.

— Et alors ?

— Voici la plus banale : *Merci infiniment pour cette nuit d'anthologie.* Écoutez plutôt ceci : *Jamais je n'en ai tant voulu au soleil de se lever…* Il fallait qu'elle rentre chez elle, nous devions nous quitter à l'aube et nous avions convenu de guetter ensemble la première lueur du jour. Et celle-ci : *Mon amour, nous avons abordé ensemble des terres inconnues qui désormais sont tiennes et miennes à jamais.* Ou encore celle-ci : *Grigoritos, nous nous sommes aimés quelques heures seulement, et d'aucuns n'y verraient qu'un banal échange de plaisir. Mais n'est-il pas le seul véritable Éden, ce sublime et transparent langage des corps que tant de femmes et d'hommes poursuivent une vie entière sans le trouver ? Merci pour la paix que tu m'as apportée.* Cette lettre et quelques autres avaient des accents mystiques qui m'ont donné envie d'explorer les relations entre l'Éros et le sacré. J'ai découvert en lisant des biographies de saintes à quel point certaines femmes donnent un sens religieux à la sexualité, ou donnent un sens érotique à leur vocation religieuse, comme vous préférez. Beaucoup de religieuses vouent à Dieu, et en particulier au Christ, une véritable passion charnelle, un désir réprimé qu'elles exorcisent en se fouettant parfois jusqu'au sang ou en s'imposant des sévices qui peuvent les mener à l'orgasme. Ces femmes sont, à mon sens, porteuses d'une sensualité si intense qu'elles ont choisi de ne jamais la vivre avec un homme pour préserver l'intensité de l'inassouvissement. »

À ces mots, Grigoritos regarda Marine. Elle rougit et baissa les yeux la première. Il reprit, comme s'il n'avait pas remarqué son trouble :

« C'est une recherche passionnante, mais vous comprenez pourquoi je ne peux pas la partager avec Antoine. Il lui serait impossible de m'accompagner dans ce scénario si étranger à son univers.

— Vous avez raison, mais pourquoi est-il comme ça ?

— Je n'ai pas de réponse, que des hypothèses. La seule femme qui l'a touché avec amour est partie...

— Sa mère, je sais ! Mais il ne faut rien exagérer, il n'est pas le seul enfant abandonné et il a été très choyé par sa famille.

— Choyé, c'est sûr, et câliné sans doute plus que bien des enfants sans histoires, mais avec la pitié en filigrane. Sa tante ne pouvait pas lui adresser la parole sans ponctuer ses phrases de "mon pauvre chéri". Tous les baisers, toutes les caresses qu'il a reçus étaient empreints de cette arrière-pensée : "Le pauvre gosse, après ce qui lui est arrivé, il faut être gentil avec lui." On ne lui a jamais donné le droit d'être heureux sans sa mère, et lui-même l'a davantage occultée que s'il était orphelin. L'idée qu'elle arrive à vivre sans lui quelque part doit lui être insupportable, alors il préfère éviter tout ce qui lui rappelle sa mère.

— Vous pensez qu'il rejette les contacts physiques parce qu'ils lui rappellent les câlins de sa mère et la pitié envahissante de sa famille ?

— En quelque sorte.

— OK. C'est possible, ou tout au moins plausible.

— Mais ce n'est pas tout. Je crois qu'Antoine a aussi un côté, comment dire... *border line*. L'abandon de sa mère n'a été que l'événement déclencheur d'un trouble mental qu'il porte en lui. Il a l'air de mener une vie normale mais vous en connaissez beaucoup, vous, des individus qui recréent entièrement le Brésil avec mille huit cent cinquante dessins plutôt que de risquer d'être déçus par la réalité ?

— Ce n'est pas un signe de folie. Sinon tous les artistes seraient des malades mentaux puisqu'ils réinterprètent le monde, tous les rêveurs seraient des fous. Vous aussi d'ailleurs ! Quel traumatisme vous pousse à collectionner les aventures d'une nuit pour le seul plaisir d'en lire le récit ? »

Grigoritos éclata de rire :

« Pas du tout, je me suis mal exprimé ! Je collectionne les lettres d'après la première nuit, mais certaines femmes sont restées beaucoup plus longtemps dans ma vie. »

Il saisit l'enveloppe par deux angles, la secoua au-dessus du divan. Il s'en échappa des dizaines de feuilles de papier de formats et de textures variés, couverts d'écriture variées elles aussi, fines et secrètes, arrondies, enfantines, simples ou compliquées. Les encres également, bleu turquoise ou noire, verte, sépia, violette, les stylos à plume, à bille, les feutres et jusqu'à une écriture au crayon presque effacée donnaient à chaque femme une existence réelle qui troubla Marine : quoi qu'il arrive désormais, une trace d'elles subsisterait de cette rencontre éphémère.

Grigoritos regroupa une série de lettres de la même écriture, qu'il déploya en éventail comme un jeu de cartes :

— Voici les lettres de Marie. Je l'ai aimée comme un fou et elle m'a aimé de même. Écoutez : *Dès que je pense à toi, je suis heureuse. Je suis heureuse tout de suite parce que c'est à toi que je pense... Je t'aime, et ce soir cela veut dire que tu me manques. Mes mains, mes oreilles, mes yeux, mon corps s'ennuient de toi, mais c'est toi qui me manques le plus. J'aimerais me coucher et m'endormir contre toi, et qu'on se réveille avec l'éternité devant nous.*

Je voudrais faire l'amour avec toi, t'appeler chéri, mon amour, et tous ces mots idiots qui rendent ridicule, mais je t'aime tant que je n'ai plus peur d'être ridicule. Cette femme m'a offert un amour sans limites, un concentré d'absolu. Écoutez encore : *Impossible de finir cette lettre. Dès que je regarde le papier, j'y vois ton visage et je me mets à rêver. Comment t'écrire dans ces conditions ?* »

La voix de Grigoritos vacilla. Il eut de la peine à lire la dernière phrase et replia l'éventail de lettres, les yeux brillants, au bord des larmes. Marine se taisait, fascinée par cette douleur qu'elle sentait si vivante encore. Il baissa la tête, essuya furtivement sa joue et lut un paragraphe en tenant le papier loin de ses yeux, comme s'il en craignait toujours les sortilèges :

« *Tu es en avion au-dessus de l'océan. J'ai toujours eu peur de ces grands oiseaux-là. Cette nuit, j'ai rêvé que ton appareil s'écrasait. Le fracas des tôles m'a réveillée en sursaut, le cœur au bord des lèvres. Dieu merci, ce n'était qu'un cauchemar ! Je me suis alors demandé ce que ta mort changerait pour moi et j'ai ressenti un grand froid intérieur. J'étais paniquée, j'ai allumé la lumière, j'avais envie de pleurer et je me suis mise à prier, moi l'incorrigible agnostique, pour que jamais rien de mal ne t'arrive. Dieu me pardonne s'il existe, mon amour, on n'est jamais sûr de ce qu'on a au fond de soi.* »

Grigoritos laissa tomber sa main sur ses genoux, les doigts crispés sur les feuilles de papier. Il poursuivit son monologue désabusé sans regarder Marine. Son ton se fit peu à peu linéaire, indifférent, comme un rapport de police constatant l'inéluctable enchaînement des faits vers le désastre :

« Nous avons vécu huit mois magiques. Marie arrivait chez moi à l'heure du dîner et repartait le lendemain matin. Nous nous voyions presque autant qu'un couple qui vit ensemble, si ce n'est que chaque rencontre restait aussi belle que la première, parce qu'elle avait gardé son appartement et que je l'attendais chaque soir en me demandant si elle viendrait. Elle venait, et c'était un émerveillement constant. Il nous arrivait de passer la soirée à faire l'amour et à grignoter des souvlakis arrosés de retsina, mais nous sortions souvent aussi, à la recherche de lieux insolites que Marie savait dénicher comme personne et que nous souhaitions marquer de notre empreinte. Aujourd'hui, je ne peux plus passer devant ces endroits...

» Peu à peu, hélas, nous avons trop mélangé nos vies. Marie est venue me voir au bureau, il m'est arrivé de téléphoner au sien, elle laissait de plus en plus d'affaires personnelles chez moi. Bref, elle a perdu son mystère et j'ai perdu le mien. Elle qui déposait chaque jour un mot d'amour dans ma poche, pour que je le lise au travail et en sois troublé, a commencé à moins m'écrire. Je m'en plaignais, mais elle avait perdu l'inspiration en même temps que le désir. Ses dernières lettres accusent : *Hier, je t'ai trouvé lointain, fatigué*, ou encore : *Ne me fais pas de procès d'intention, je t'aime et cela devrait te suffire*. Nous commencions à marchander nos sentiments, incapables de transformer la passion en amour. Nous nous sommes quittés avant de devenir sordides. Depuis, je me dis que si une telle passion a pu s'éteindre, rien n'est capable de résister au temps. »

Marine prit les lettres de Marie dans la main de Grigoritos, qui ne s'y opposa pas. Elle les effeuilla, les rassembla, saisit au passage quelques mots. Grigoritos la regardait faire.

« On peut jouer avec de différentes façons, fit-il, sarcastique. Parfois, je classe les lettres par ordre chronologique et je regarde la passion naître, se développer et atteindre un point culminant, puis s'éteindre avec au passage quelques mesquineries qui font mal. D'autres fois je les bats comme un jeu de cartes et je vois voisiner de sublimes mots d'amour et d'amers reproches. Rien de tel pour se sentir précaire en ce bas monde. J'étais poussière, elle m'avait fait diamant et me voici de nouveau poussière. »

Marine eut un élan irrépressible vers Grigoritos. Ils s'embrassèrent longuement, avec une tendresse non feinte. Elle voulut lui caresser la nuque pour l'apaiser, mais il saisit sa main et lui sourit :

« Ne vous y méprenez pas. Être lucide rend plutôt serein. Cette histoire m'a appris à "jouer au monde" différemment. Au lieu de rêver ma vie, j'essaie de transformer mes rêves en réalité. Longtemps, j'ai rêvé d'être musicien sans jamais rien faire pour le devenir. Après le départ de Marie, je me suis décidé à prendre des cours et je commence à jouer très convenablement de plusieurs instruments. Désormais, je voyage beaucoup au lieu de rêver sur ma mappemonde. Globalement, je peux dire que je suis heureux.

— Je n'en doute pas. Mais dites-moi, ajouta Marine d'un air déconfit, après ce que m'avez confié, je me sens incapable de vous écrire une lettre d'après première nuit. C'est impossible, je vous assure !

— Vous êtes adorable, Marine, mais rassurez-vous. Même sans ces confidences, je ne vous l'aurais pas demandé : je sais trop bien que vos mots d'amour ne me seraient pas destinés. »

25

Quand je t'ai quitté, Grigoritos, j'en avais beaucoup appris sur Antoine. Tu m'as raconté l'adolescent capable de jeûner une semaine en attendant qu'un professeur indélicat lui fasse des excuses pour une remarque déplacée. Tu m'as parlé d'un texte en latin qu'il avait écrit entièrement en vers scandés, pour dénoncer l'incohérence du règlement intérieur du collège et appeler à la révolte contre l'arbitraire. Le professeur ne sut comment noter ce manifeste dont il admirait la forme irréprochable et réprouvait le fond. Tu m'as décrit son art d'être à la fois populaire et seul. Ses camarades l'admiraient parce qu'il osait dire ce qu'il pensait et faire ce qu'il voulait, avec une force plus que tranquille :

« Il ne se souciait pas des sanctions, comme si rien n'avait vraiment d'importance pour lui.

Mais il était seul aussi, détesté pour sa façon d'ébranler les certitudes de ses condisciples, d'être si différent d'eux. Certains l'appelaient le dingue, le barjot, le psychopathe...

Il a effectivement un grain de folie, une vigilance maladive pour maîtriser son univers et prévoir l'imprévu, comme s'il ne se remettait pas d'avoir dormi la nuit où est partie sa mère. C'est obsessionnel. Je n'ai jamais vu Antoine lâcher prise et se laisser aller. Je ne l'ai jamais vu non plus crispé. Il contrôle tout avec une nonchalance... qui fait du reste son charme. »

Tu m'as avoué ce que j'avais deviné. Tu as passionnément aimé Antoine, d'une passion ancrée sur la conviction que vous aviez plus que des affinités, une façon identique de sentir et percevoir le monde, comme une « gémellité énergétique ». J'ai adoré cette formule que j'aurais pu faire mienne. Comme moi, tu as ressenti auprès de lui un bien-être absolu et la certitude d'être à ta place exacte. Il incarnait pour toi comme pour moi une fatalité, au sens antique du terme.

« Ce n'est pas de l'amitié que vous me décrivez, Grigoritos, c'est un sentiment amoureux ! »

Tu as eu un éclair amusé dans le regard :

« Ai-je prétendu le contraire ? »

J'ai laissé flotter un silence entre nous, que tu as rapidement rompu :

« Bien sûr, j'ai désiré Antoine, comme on désire forcément une personne avec qui se noue un lien aussi intense. J'avais envie d'une proximité physique avec lui, d'autant que dans ce lycée de garçons nos émois d'adolescents restaient particulièrement frustrés ! Je précise bien : physique, pas forcément sexuelle, encore que... De toute façon, c'était aussi impossible avec moi qu'avec vous. Antoine ne refuse pas seulement le contact avec les femmes, il refuse tout contact intime. Ce qui ne l'a pas empêché, paradoxalement, de mal accepter mes premières relations amoureuses. C'est alors qu'il a commencé à s'éloigner... »

Tu as vécu douloureusement la distance née entre vous, que tu as compensée en devenant entrepreneur à succès. Avec, quelque part, la nostalgie des rêves que vous aviez partagés. Du moins est-ce mon interprétation. La tienne diffère sensiblement. Tu prétends que cette distance t'a au contraire sauvé en te permettant d'échapper à l'emprise d'Antoine, à sa folie intime qui enferme définitivement dans un monde irréel.

« Même s'il semble socialement intégré, je crois qu'Antoine peut basculer à tout moment de l'autre côté

du miroir. Pour l'instant, il vit du côté "normal" – excuse-moi, je déteste ce mot, mais je n'en trouve pas d'autre – mais un rien, à mon avis, peut le faire déraper. S'il perd le contrôle, s'il se sent en danger... J'aime toujours jouer au monde, mais à la différence d'Antoine, je ne veux plus confondre le jeu et la réalité. »

Tes paroles ont éveillé en moi un écho douloureux, l'indignation ressentie lorsque pour la première fois un militant m'avait asséné pour justifier ses renoncements : « Faut pas rêver, Marine. Tu sais bien qu'à l'épreuve des faits... » Moi, je voulais toujours l'impossible et me sentais moins folle que ces utopistes repentis.

Je suis partie très tard de chez toi. Tu avais appelé un taxi que nous avons attendu ensemble sur le trottoir. Il faisait froid, j'ai glissé ma main sous ton pull, tout contre ta peau, et je me suis demandé si je la toucherais à nouveau un jour. Alors la pulpe de mes doigts a enregistré tout ce qui ferait que je ne t'oublierais pas, comme une empreinte ADN sensuelle. Unique. Tu as souri en replaçant dans mon bonnet quelques mèches de cheveux qui s'en échappaient :

« Où allez-vous dormir, Marine ? »

J'ai haussé les épaules, hésitante.

« Je n'ai évidemment pas de conseil à te donner... Pardon : à vous donner, mais je crois sincèrement que vous devriez retourner chez vous.

— Pourquoi ?

— Parce que Antoine vous entraîne dans un jeu dont il fixe seul les règles et dont il vous rend dépendante. Vous l'avez dit vous-même : vous avez l'impression que la vie s'arrête jusqu'au moment où vous le retrouvez. »

J'ai souri, comme pour tempérer ses propos :

« N'exagérons rien, il ne m'enferme pas ! Je vais librement à mon travail et c'est moi qui choisis de revenir chez lui.

— Vous savez très bien ce que je veux dire, mais vous ne voulez pas l'entendre. »

Une loupiote est apparue au coin de la rue, le taxi arrivait. J'ai frôlé les lèvres de Grigoritos :

« Merci pour tout, Grigoritos. J'ai particulièrement apprécié que vous ne vous mettiez pas brusquement à me tutoyer sous prétexte que nous avons fait l'amour ensemble. C'est rare. »

Grigoritos a ouvert la portière. Quand la voiture a démarré, je me suis retournée pour l'apercevoir une dernière fois, mais le Grec avait déjà disparu. J'en ai été déçue. J'étais dans cet état d'énervement où le cerveau tourne à plein tandis que le corps n'en peut plus. Inutile de songer à dormir. J'ai donc fait arrêter le taxi dans un quartier animé et suis entrée dans un piano-bar.

Le musicien avait vingt ans, vingt-cinq peut-être. Il jouait de son instrument avec le sourire radieux d'un GI revenu du Vietnam sain et sauf. Il avait d'ailleurs quelque chose de yankee dans son allure dynamique et propre sur soi. De temps à autre il se livrait à d'incroyables acrobaties, jouant assis, debout ou même dos au clavier, tout en chantant au micro des swings capables de donner des fourmis dans les jambes à des grabataires arthritiques. Le public en redemandait.

Je me suis assise sur l'une des rares chaises libres, à côté d'un couple dont l'air intemporel m'a émue. Ils n'étaient pas à la mode, ni démodés. Le pantalon gris de l'homme, sa chemise bleu pâle classique et sa coupe de cheveux banale l'auraient rendu anonyme à n'importe quelle époque. J'aurais été bien en peine de lui donner un âge. Sa compagne portait un chemisier blanc et une jupe plissée noire dont je n'ai pu évaluer la longueur puisqu'elle était assise, mais de toute façon la hauteur de l'ourlet a depuis longtemps cessé d'être un moyen de datation. Au carbone 14, elle aurait pu aussi bien se révéler venue du XVIIIe siècle que du milieu du XXe et se fondait très bien dans le décor actuel. Tous deux m'ont souri lorsque je me suis installée à leur table, puis ils ne m'ont plus prêté attention. J'ai bu un cocktail sans alcool et m'apprêtais à en commander un autre quand l'homme m'a saisi le poignet.

« Vous ne buvez pas de boissons alcoolisées ?

— Si, cela m'arrive, mais ce soir je n'en ai pas envie.

— Vous avez de la chance.

— Pourquoi ?

— De la chance de pouvoir regarder le monde à jeun sans être prise de vertige. »

J'ai failli plaisanter : « C'est plutôt quand j'ai bu que je suis prise de vertige ! » Quelque chose dans l'expression de l'homme m'en a dissuadée. Je lui ai demandé pourquoi le monde lui faisait un tel effet, il a répondu bizarrement :

« Mon accent ne vous dit rien ? »

Il avait une voix de basse, avec des « r » roulés sans rusticité. J'ai songé à Antoine quand il imitait la fausse comtesse russe et ai suggéré :

« Seriez-vous russe ?

— Non, mademoiselle, je suis géorgien. »

J'ai dû avoir l'air évasif, car il a précisé avec une soudaine véhémence :

« Géorgien, bien sûr, ça ne vous dit rien ! Vous pensez que les républiques soviétiques se ressemblent toutes. Mais, mademoiselle, entre Russie et Géorgie, il y a autant de différence qu'entre France et Finlande. Il ne vous viendrait pas à l'idée de prendre un Finlandais pour un Français ? Eh bien moi, depuis que je suis en France, depuis plus de trente ans, on me traite de russe et la Géorgie est morte ! Pire que morte, inexistante pour tous ceux qui m'interrogent. Au mieux, ils se souviennent qu'il existe une Géorgie américaine, mais ils ignorent la mienne. Je ne viens pas d'ailleurs, je viens de nulle part, d'un pays qui n'intéresse personne, vous rendez-vous compte ? »

Il a pris la main de sa compagne, l'a brandie au-dessus de sa tête comme un étendard :

« Ma femme est italienne. Des Abruzzes. Rude pays, bonnes racines. Elle n'a pas revu son village depuis des

années. Alors nous travaillons dur pour faire construire là-bas et y retourner quand nous serons vieux.

— Oui, a fait la femme avec des yeux brillants. Un jour je retournerai au village avec Andrei et j'y vivrai, comme avant ! »

Je ne sais pourquoi, j'ai eu la certitude que ni l'un ni l'autre ne quitteraient jamais Paris. Je les ai vus, travaillant comme des fous dans de petits boulots précaires et mal payés, et bien loin d'économiser, venir claquer chaque soir leur argent dans des boîtes de ce genre où durant quelques heures ils se racontent leurs chimères auxquelles l'alcool donne un peu de consistance. Tout cela n'était pas gai. J'ai pensé à la phrase fétiche de ma mère : « Même un terroriste a d'abord été un bébé », censée embellir jusqu'aux êtres les plus vils d'une aura d'innocence.

« Dites-moi, monsieur, comment étiez-vous quand vous étiez bébé ?

— Bébé ? a répété l'homme d'un air surpris. On n'est jamais un bébé quand on fuit sur les routes. Mes parents ont passé leur jeunesse à fuir les contrôles de police ou à changer de pays dans l'espoir qu'ailleurs serait plus beau. J'étais un bébé qui donnait la main à sa mère et trébuchait sur les cailloux. J'avais deux ans, trois ans... Qu'est-ce que j'ai pu avoir mal aux pieds ! Je me souviens que lorsque je ne pouvais plus avancer, ma mère me prenait dans ses bras et me portait pendant quelques kilomètres, mais elle me reposait bien vite car elle-même n'en pouvait plus.

— Moi, a souri l'Italienne, je ne me souviens de rien, si ce n'est qu'il fallait obéir et ne jamais parler à table. Les jours de mon enfance étaient si monotones que je les ai oubliés. Pourquoi nous demandez-vous ça ?

— Pour rien. Pour savoir. »

Raté, ma chère maman. Tes phrases magiques ne résistent pas à l'épreuve du monde, du vrai, dans lequel les bébés n'ont pas tous un gentil sourire et des joues de velours sur lesquelles les adultes posent de tendres baisers. Tant mieux finalement : je comprends mieux que ces bébés aux pieds meurtris engendrent des terroristes. Grigoritos n'a peut-être pas tort.

J'ai regardé ma montre : 4 heures passées ! Le jeune pianiste avait disparu, remplacé par un vieux routier du clavier qui dévidait sans y penser de vieux standards des années 1950. Il portait un pull moulant à col roulé noir dans lequel il devait étouffer. Au coin de ses lèvres pendouillait un mégot maïs qu'il rattrapait de temps à autre d'un mouvement de langue rapide. On eût dit un lézard gobant une mouche. Le Géorgien a pointé son index vers le musicien :

« Musique de paquebot pour soirées dansantes à la table du commandant. J'étais chef steward entre l'Amérique et le Japon. Clientèle richissime, magnifiques réceptions. J'invitais à danser des femmes somptueuses. Belle époque. J'étais jeune.

— Quel âge avez-vous ?

— Je n'ai plus d'âge. Je ne dis pas ça pour me cacher. C'est à cause de l'alcool. Les souvenirs se mélangent, il y a trop d'images dans ma tête, je confonds les années, les dates, les pays...

— Mais vos souvenirs sont plus beaux.

— Plus beaux, oui. Surtout avec la vodka. Essayez un jour. La vodka décape ce qui est laid, elle donne de l'acuité au regard. On se sent plus en harmonie avec le monde, plus intelligent. »

Il a souri :

« Son seul défaut, elle coupe les jambes. Assis, on peut en boire des litres, mais il faut dormir sur place.

— Et au réveil ?

— Au réveil, il faut continuer à vivre. On s'habitue. Vous aimez la nuit, vous aussi ?

— Ça dépend. Ce soir, oui.

— Vous êtes belle. On vous l'a souvent dit ?

— Parfois. Cela me gêne plutôt.

— Vous avez tort. Une femme doit s'entendre dire chaque jour qu'elle est belle pour le rester. Vous voyez Sylvana... Elle est belle, n'est-ce pas ?

— Très belle, oui.

— C'est parce que je le lui dis chaque jour. Pas seulement "tu es belle", mais "tes cheveux sont beaux", "j'aime ton regard", "j'aime les courbes de ton corps", "j'aime te regarder marcher, parler, vivre". C'est ainsi qu'elle reste belle, ainsi que je continue à l'aimer.

— C'est bien. »

J'ai jeté un coup d'œil à Sylvana. À cette heure tardive, après tant de verres d'alcool fort, elle n'était plus belle, juste fanée par la pâleur de sa vie présente et la douleur des souvenirs. Je me suis soudain sentie très fatiguée, trop fatiguée pour accompagner plus avant le Géorgien et sa femme dans leurs délires. J'en avais assez de ces vies usées, de tes amours blessées, Grigoritos, des certitudes écroulées d'Anne-Marie et des frustrations du petit hôtelier vendéen. Toutes ces vies piégées avec l'assentiment de leurs victimes. J'avais l'impression que se refermaient sur mon crâne d'énormes mâchoires, comme ces machines à compresser les voitures qui transforment en quelques instants un véhicule de rêve en cube de ferraille méconnaissable. Autour de moi, tout semblait pourtant normal. À une table des gens riaient, un couple s'embrassait, à une autre une bande de fêtards levaient leurs verres à celui qui serait des leurs dès qu'il aurait vidé le sien. Je me suis demandé où étaient leurs fêlures.

Le Géorgien m'a tapé sur l'épaule :

« Vous devriez aller dormir, il est tard.

— Et vous ?

— Pour nous, il est déjà trop tard. »

26

Du fond d'un sommeil visqueux, Marine entendit vibrer le téléphone. Elle saisit le combiné à tâtons, surprise de se retrouver dans son studio :

« Allô, Marine ? C'est Marc.

— Ah... fit-elle en bâillant. Salut, Marc.

— Oh là là ! Tu n'as pas l'air frais. Sais-tu l'heure qu'il est ? 11 heures !

— Je me suis couchée tard.

— Je m'en doute, pour avoir une voix pareille. Je suis dans le quartier, je peux monter chez toi prendre un café ?

— D'accord, passe dans un quart d'heure, le temps que j'émerge. »

Marine se leva et gagna à pas traînants la salle de bains. En apercevant dans le couloir son sac et son manteau jetés à terre, à la va-vite, elle se souvint qu'elle avait décidé au dernier moment de rentrer chez elle pour ne pas réveiller Antoine à une heure aussi indue. Elle préférait aussi être seule pour décanter les images de cette curieuse soirée. Elle se demanda comment le Géorgien et sa femme avaient fini la nuit. L'aube avait dû les surprendre dans un ultime bar ouvert vingt-quatre heures sur vingt-quatre, à moins qu'ils soient rentrés chez eux main dans la main le long des quais, le Géorgien déclamant des vers rimbaldiens à sa compagne. Face à la Seine, peut-être avait-il enlacé Sylvana et esquissé avec elle un langoureux pas de tango pour qu'elle se sente belle.

« Encore un grand fou celui-là, expliqua Marine à son reflet dans le miroir. La vieille d'Antoine a raison. Il faut être slave pour savoir exprimer une telle démesure. Même son regard était étrange, pâle et légèrement bridé, entre Europe et Asie. »

Grigoritos s'était levé tôt. Il devait prendre le premier avion pour Rome et passer quelques jours en Italie, à la recherche d'un orfèvre capable de réaliser les figurines compliquées de son dernier jeu. Avant de la quitter, il avait glissé dans la main de Marine une clé de son appartement.

« Pourquoi me donnez-vous votre clé ?

— Si un jour vous en avez besoin, je ne veux pas que vous trouviez porte close. Prenez soin de vous. »

Marine respira ses doigts avec l'impression d'y retrouver l'odeur du Grec. Son corps s'en émut. Elle se remémora leurs caresses et l'incroyable harmonie de leurs peaux comme une divine surprise, puis elle se demanda si leur plaisir était venu d'eux seuls. Avait-elle aimé Grigoritos, ou l'ami d'Antoine ? Avait-il désiré Marine ou Antoine à travers son corps à elle ? Difficiles questions, réponse impossible.

Tout en réfléchissant, elle se doucha puis se brossa les dents et les cheveux. Elle finissait d'enfiler un long tee-shirt, quand Marc sonna à la porte, tenant un sachet de croissants et un bouquet de fleurs.

« Oh merci, c'est trop sympa ! Viens à la cuisine, je mets le café en route. Heureusement qu'on est samedi, j'aurais été incapable d'aller bosser ce matin. »

Marc suivait Marine des yeux en contemplant ses pieds nus. Une manie d'enfant contre laquelle Madeleine ne cessait de batailler autrefois : « Marine, mets quelque chose à tes pieds ! » La petite obtempérait en grognant, puis se déchaussait sans y penser dix minutes plus tard. Madeleine en prenait des rages folles qui ravissaient Marc.

« Tu te balades toujours pieds nus, remarqua-t-il, amusé.

— Oui, toujours. Ne le dis pas à maman, surtout ! »

Marine mesura la quantité d'eau nécessaire, dosa le café, sortit deux tasses et deux cuillères du placard et une plaque de beurre du frigo. Malgré le manque de sommeil, elle se sentait précise dans ses gestes, heureuse de renouer avec ses habitudes et d'être chez elle. Marc s'était posé sur un tabouret. Elle le trouva épaissi. Il avait à présent l'assise un peu lourde d'un homme mûr et les traits moins précis. L'évolution était à peine perceptible, nulle autre que Marine sans doute n'y eût été sensible, mais elle le connaissait depuis trop d'années pour ne pas déceler sur lui les marques du temps et la moindre ligne un peu plus floue. Il restait séduisant mais lui paraissait ce matin plus proche de Madeleine que d'elle. Marine sourit en songeant à la réflexion de sa mère : *Aujourd'hui, Marc aurait plus de chances d'être attiré par une jeune femme comme toi.*

« Je suis allée dîner dans un resto africain puis écouter du jazz, dit-elle enfin. Un jeune pianiste époustouflant, je te le recommande. »

Elle ne souffla mot de Grigoritos. Sa rencontre avec le Grec resterait un secret dont elle ne parlerait à personne, pas même à Antoine.

Tandis que le café passait, elle mit les fleurs dans un vase et dénicha au fond d'une étagère un pot de confitures non entamé :

« Maman n'en fait plus, ce sont celles de la voisine, délicieuses. Un mélange de framboises et de fraises des bois. Elle a plus de framboises que nous dans son jardin, alors elle en fait des conserves, de la gelée, des tartes, toutes sortes de bonnes choses dont nous profitons. À propos, tu as le bonjour de maman. Je l'ai trouvée en grande forme. Elle compte bien que tu passeras chez elle cet été.

— Il y a de grandes chances, je ne suis pas descendu depuis des mois. Ça me fera très plaisir de la revoir. »

Marine remplit les deux tasses, tendit la sienne à Marc puis s'assit et posa une main sur celle de son ami :

« Tu as un peu de temps ? Je voudrais te raconter Antoine. »

Marc écouta, attentif, sans faire le moindre commentaire. Marine fut surprise de son absence de réaction :

« Tu ne dis rien, je dois raconter mal. C'est vrai qu'Antoine est irracontable. Il serait absurde de te dire : "J'ai rencontré un jeune homme qui m'offre le Brésil le soir dans son studio au sixième étage d'un immeuble parisien." Et pourtant c'est exactement ça, il m'a offert le Brésil, et aussi l'Alaska où il n'est jamais allé, et puis les îles Cocos qu'il connaît vraiment. L'autre jour, après avoir visité l'exposition sur la période bleue de Picasso, nous avons décidé que la journée serait bleue. On s'est habillés en bleu, on a mangé et bu des choses bleues, et écouté du blues le soir... Le lendemain, on a fabriqué des bulles de savon avec je ne sais quel liquide qu'Antoine trafique pour rendre les bulles plus solides. Il y en avait une dizaine posées sur la moquette, se refusant à éclater. Nous sommes restés accroupis devant en retenant notre souffle et elles ont explosé l'une après l'autre avec un petit "pop", sans se presser. La dernière à éclater était énorme, presque la taille d'un ballon de football. J'ai eu la sensation magique de retenir le temps tellement la scène semblait se dérouler au ralenti.

» Que te dire d'autre ? Antoine est grand, beau, très mince et très drôle. Il adore les jeux de mots. Pas les calembours, les jeux avec les mots, comme un enfant joue avec le sable en pensant que la plage lui appartient. Antoine considère les mots comme son bien propre, même les mots sales... Tu vois, c'est contagieux ! À mon tour je me mets à décortiquer les syllabes avec gourmandise, comme des pattes de crabe. C'est aussi un peintre incroyable, le roi du trompe-l'œil, mais il ne le fait pas pour faire du trompe-l'œil, il le fait pour créer son monde à lui, jouer avec les apparences et les rendre parfois plus réelles que la réalité. »

Marine se tut, essoufflée par sa longue tirade. Marc ne prononçait toujours pas un mot. Elle en fut déçue, comme si le silence persistant de son ami signifiait qu'il se désintéressait de son histoire. Elle ajouta en conclusion :

« Voilà : je viens de te raconter mille détails, mais j'occulte l'essentiel. Je ne sais pas pourquoi il me semble naturel de rentrer dormir sur ce lit de camp qu'Antoine prépare pour moi chaque soir, et je ne sais pas davantage pourquoi il le prépare. »

Marc n'avait aucune réponse. Fugitivement, l'idée traversa Marine que cette histoire n'était qu'un leurre, une dérive romanesque à mettre sur le compte de l'oisiveté de cette semaine pas comme les autres. En face de Marc si solide, si familier, elle oubliait ses émotions. Il lui suffirait de revenir vivre dans ce studio, de se concentrer sur son travail et de renouer avec quelques vieux copains pour que tout redevienne comme avant. La vie, au fond, n'était pas si compliquée. Marine en était là de ses réflexions quand elle remarqua que Marc tournait sa cuillère depuis cinq minutes dans son café avec une application suspecte. Il se racla la gorge deux ou trois fois :

« À mon tour de t'étonner. Devine ce que je fais dans un mois.

— Comment veux-tu que je le sache ? Tu vas plaider pour un bandit calabrais, défendre la cause des derniers Sioux, pourfendre un financier véreux ?

— Plus incroyable : je me marie. »

Marc n'aurait pas produit davantage d'effet en faisant surgir de sa tasse un bataillon de lapins géants des

Flandres ou en déclenchant un ouragan dans la cafetière. Marine lâcha sa tartine qui tomba évidemment du mauvais côté et coassa un tonitruant « Quoi ? » capable de rameuter tous les crapauds du quartier s'il y en avait eu.

« Marc, dis-moi que j'ai mal entendu. Tu te maries ? Toi ?

— Moi, avec Sarah. Il faut être deux.

— Ah ! Parce que c'est avec Sarah ?

— Évidemment ! Avec qui voudrais-tu ?

— Oui, excuse-moi, je n'y suis pas... Bien sûr, tu te maries et Sarah t'épouse, quoi de plus normal ! persifla-t-elle. Ça vous a pris comment ?

— Enfin, Marine, fit Marc impatienté, qu'y a-t-il d'étonnant au fait que j'épouse Sarah avec qui je vis depuis bientôt deux ans ?

— Justement : le fait que tu vis avec elle sans être marié depuis près de deux ans et que les circonstances n'ont pas fondamentalement changé. »

À la seconde où elle prononça ces mots, Marine eut le sentiment de les avoir déjà entendus. Elle fouilla dans sa mémoire et se souvint : « Pourquoi voulez-vous que je reste ? — Je ne veux pas que vous restiez, avait répondu Antoine. Je dis simplement que vous êtes venue hier et je m'étonne que vous vouliez partir, comme si les circonstances avaient fondamentalement changé. »

Elle avait été furieuse qu'Antoine la mette face à ses contradictions, tout comme Marc à présent se défendait pied à pied :

« C'est idiot ce que tu dis ! Le mariage ne changera rien à notre relation, alors pourquoi en fais-tu tout un fromage ?

— Moi ? Je n'en fais rien du tout ! C'est toi qui as commencé en disant : à mon tour de t'étonner. Tu avais donc bien à l'esprit l'idée que cette décision pouvait me surprendre.

— Mais qu'est-ce que ça peut te faire ?

— Rien. M'étonner, c'est tout.

— Tu m'en veux ? C'est à cause de Madeleine ? »

Marine éclata de rire :

« Marc ! Tu penses vraiment ce que tu dis ? Que ce soit clair entre nous : j'ai été heureuse que tu apportes un peu de bonheur à ma mère qui l'avait bien mérité, mais je n'ai jamais eu envie que tu fasses partie de la famille. Tu te rends compte ? Tu n'as que douze ans de plus que moi, tu aurais fait un piètre père ! Quasi incestueux, parce que je te trouvais très beau quand tu étais jeune, ajouta-t-elle, taquine.

— Mais alors ?

— Rien. Je suis surprise que toi, le dernier des Mohicans, l'aventurier du Code pénal, tu entres à ton tour non pas dans les ordres ce qui m'aurait plutôt amusée, mais dans l'Ordre. Tu vas bientôt m'annoncer que vous voulez faire un bébé.

— Et pourquoi pas ? se rebiffa Marc. Je vais bientôt avoir quarante ans, il faut que j'y pense. »

Marine se leva et vint poser les mains sur les épaules de Marc. Il pencha la tête en arrière, la regarda par en dessous. Elle lui sourit et, du bout des lèvres, fit mine de l'embrasser. Il frotta ses cheveux contre elle, rasséréné. Dans cette attitude, elle ne pouvait pas lui vouloir de mal.

« Marc, veux-tu un enfant parce que tu vas avoir quarante ans, ou parce que tu désires vivre avec un enfant et l'élever ?

— Les deux, je suppose, c'est difficile à démêler. Dans l'immédiat, c'est vrai que le temps qui passe est l'argument principal. Sarah, qui a sept ans de moins que moi, n'est pas si pressée. »

Marc sentit les mains de Marine lui masser la nuque. Il ferma les yeux. Elle l'apaisait peu à peu et il se sentait prêt à toutes les concessions lorsqu'elle immobilisa ses doigts et reprit :

« Voilà ce qui me perturbe. Je te croyais un type solide capable de faire tout seul ses choix et ça me gêne que tu te laisses piéger dans le modèle "socialement normal". On ne se marie pas et on ne fait pas un enfant parce qu'il est temps, tout de même ! Temps de quoi d'abord ? De te caser, d'enterrer ta vie de garçon, de faire une fin ? "Ils se marièrent et eurent beaucoup d'enfants", déclama-t-elle avec emphase. C'est la fin des contes de fées, le début des désillusions, et on ne te raconte jamais ce que sont devenus le Prince et Cendrillon parce que ce ne doit pas être très rock'n'roll...

— Et alors ? C'est plus constructif d'avoir un projet de vie que de tomber amoureuse d'un impuissant qui te passe des diapos ! »

Marc n'eut pas plutôt lancé la phrase qu'il la regretta. Les mains de Marine se crispèrent sur ses épaules, si fort qu'il en eut presque mal. Elle se mit à respirer d'une façon saccadée, comme si elle étouffait.

« Quel con, mais quel con je fais ! se dit-il. Elle va se mettre à pleurer ou me foutre à la porte et je ne l'aurai pas volé. »

Il entendit la voix de Marine toute lisse, presque blanche :

« Marc, ma vie ne regarde que moi, sauf si tu me prouves que je nuis à quelqu'un. Je travaille, je me prends en charge, je n'importune personne...

— Je sais, Marine. Et tu adores ta mère, et tu es la plus fidèle amie qui soit. Je sais tout ça. Mais tu restes à la surface des choses, comme si tu ne te décidais pas à entrer dans la vie. »

Elle le lâcha soudain pour allumer le poste de radio. Flash de midi. En quelques minutes la moitié de la planète leur fut présentée à feu et à sang par un journaliste soucieux de faire tenir toutes les informations dans le court laps de temps dont il disposait avant l'écran publicitaire. Il en résultait un étrange arasement qui ne donnait pas à une guerre civile endeuillée de plusieurs centaines de morts plus d'importance que le rapt d'un enfant dans l'est de la France ou la création du premier opéra-rock à la Bastille. Marine baissa le son avant les publicités et revint s'asseoir face à Marc. Elle resta quelques instants sans rien dire, songeuse, avant de conclure d'un ton las en désignant le poste de radio :

« Vois-tu, je n'ai pas envie de tout ça, pas envie de faire semblant. Je connais les règles, j'essaie de faire avec et je crois que personne ne peut me reprocher quoi que ce soit. Alors laisse-moi au moins la liberté de n'y pas croire une seconde ! »

27

En raison d'un trafic très dense, l'avion en provenance de São Paulo tournait au-dessus de Roissy, attendant que la tour de contrôle voulût bien donner au pilote l'autorisation d'atterrir. Les passagers prenaient leur mal en patience. Après tant d'heures de vol, ils avaient hâte de se reposer, tout en appréciant cette prolongation imprévue qui les maintenait quelques minutes encore dans leur parenthèse de voyageurs au long cours.

Une femme colla son front au hublot pour regarder les lumières de la ville. Le contact froid de la vitre lui fit du bien. D'un revers de main elle l'essuya, mais un peu de buée subsistait entre les deux parois de verre. Au sol, les balises lumineuses parlaient un langage international aux pilotes. La femme faisait le voyage plusieurs fois par an et s'émerveillait toujours de l'harmonie de ce ballet d'avions et de l'organisation qu'il impliquait pour que tout se déroulât sans incident majeur. Elle avait dépassé la cinquantaine mais paraissait plus jeune. Seules quelques ridules au coin des paupières marquaient son visage. Ses yeux noirs très mobiles étaient en permanence animés de la curiosité que l'on rencontre d'ordinaire chez les bébés et les animaux sauvages. Elle tenait à la main un recueil de poèmes de William Coper que lui avait offert son ami John Lloyd en l'accompagnant à l'aéroport :

« Vous verrez, chère amie, que l'absence de mère peut constituer un déclic pour la créativité du fils, notamment lorsque leurs relations ont été intenses au cours de la petite enfance. Cependant votre cas est un peu différent. La mère de Coper est morte, pas vous. Les cicatrices ne sont vraisemblablement pas identiques. »

Elle semblait tendue. Lloyd l'avait serrée dans ses bras en murmurant :

« Ayez confiance. Je ne suis pas infaillible, mais assez sûr de moi. »

Elle avait rencontré John Lloyd quelques mois auparavant, sur une plage brésilienne. Le malheureux s'était endormi trop longtemps au soleil et contemplait d'un œil navré ses épaules puissamment rougies. Elle lui avait proposé en anglais un liniment souverain contre les brûlures. L'homme l'avait regardée, intrigué :

« Vous parlez très bien anglais, avec un léger accent toutefois, mais pas l'accent brésilien. Puis-je vous demander vos origines ? »

Il fut ravi d'apprendre qu'elle était française. Lui-même était veuf d'une épouse française trop tôt disparue et adorait parler cette langue. Ils sympathisèrent tant qu'il l'invita à dîner le soir même. Leur conversation devint rapidement intime. À lui seul, la mère d'Antoine raconta ce qu'elle n'avait jamais révélé à personne : son départ en pleine nuit un quart de siècle auparavant, pour rompre avec une existence dans laquelle elle avait, selon ses proches, « tout pour être heureuse ».

« N'avez-vous jamais regretté ? demanda John Lloyd en regardant d'un œil neuf cette femme qu'il avait imaginée sans histoire.

— Jamais, bien que j'aie connu les moments précaires et difficiles auxquels je m'attendais. J'ai habité dans plusieurs pays, exercé divers métiers. J'ai vécu des amours somptueuses et d'autres désastreuses. Il m'est même arrivé, il y a une dizaine d'années, d'éprouver l'envie de fuir à nouveau, vers une troisième existence. En revanche, si depuis vingt-cinq ans j'ai toujours vécu seule, je n'ai jamais souffert de solitude, alors que dans ma première vie c'était l'inverse. Je n'ai donc aucun regret, mais parfois un remords. »

Elle lui parla d'Antoine, de ce petit garçon dont elle n'avait jamais oublié le contact de la peau et les tendres câlins dont elle l'avait prématurément privé. Elle se demandait comment il avait vécu son départ, et s'il avait cherché à retrouver sa trace.

« Et vous ? demanda Lloyd. Avez-vous cherché à le contacter ? »

Elle soupira :

« Oui, deux fois. Quelques semaines après mon départ, je lui ai envoyé une lettre pour lui dire que je l'aimais et qu'on se reverrait un jour. Je n'ai jamais eu de réponse. Il est probable que la famille a ouvert ce courrier et ne le lui a pas remis. Et puis, le monde étant décidément minuscule, je suis allée il y a six ou sept ans à un vernissage où j'ai rencontré un sculpteur brésilien qui avait longtemps séjourné en France. Nous avons sympathisé, et à la façon dont il m'a décrit un de ses amis parisiens, artiste et fantasque, j'ai eu la conviction qu'il s'agissait de mon fils, même si notre nom de famille est assez répandu. Je n'ai pas osé raconter mon histoire au sculpteur, alors j'ai fait des recherches pour trouver l'adresse de ce peintre, je lui ai écrit, et la lettre m'est revenue quelques semaines plus tard avec la mention "n'habite plus à l'adresse indiquée". J'ai eu ensuite la confirmation qu'il s'agissait bien de lui, mais il était trop tard.

— Trop tard ? Pourquoi trop tard ? Vous pouviez lui écrire à sa nouvelle adresse. »

La mère d'Antoine aspira une bouffée de fumée qu'elle expira longuement, comme pour se donner le temps de répondre.

« Trop tard, parce que j'avais obéi à une impulsion en lui écrivant et que s'il avait lu cette lettre, la balle était alors dans son camp. Quand elle m'est revenue, j'étais partagée entre la déception et le soulagement. Qu'allais-je essayer de renouer après tant d'années d'absence ? Mon fils s'est construit sans moi...

— Pas sans vous. Avec votre absence.

— Vous jouez sur les mots.

— C'est mon métier, je suis psychanalyste », sourit-il.

L'instant d'après, il changea de sujet de conversation. Cet homme était subtil et charmant. Il s'intéressait à cette femme et lui extorqua sans en avoir l'air mille détails sur elle, sur sa première vie et sur les suivantes. Tous deux se quittèrent à près de minuit en se promettant de poursuivre cette amitié naissante.

La mère d'Antoine chercha dans sa poche et en sortit un bout de papier froissé. Y figurait juste une adresse à Paris. John Lloyd le lui avait remis lors de leur seconde rencontre, une fin d'après-midi orageuse où le soleil couchant griffait le ciel de longues flammèches orange.

« J'ai élaboré un logiciel pour essayer de prévoir avec le maximum de précision vers quel genre de vie peuvent aller mes patients en fonction de leurs données innées et acquises. Non pas que la destinée soit écrite à la naissance, bien sûr, mais je suis persuadé que tout être humain suit un itinéraire dont, après coup, on peut retrouver la logique. L'analyse n'est rien d'autre que cet essai de décryptage. J'ai fait une recherche sur votre fils. En fonction de ce que vous m'avez dit de vos rapports, de sa famille et des traces que vous avez eues de lui depuis votre départ, j'ai essayé de dresser le portrait du jeune homme qu'il a pu devenir, et de fil en aiguille – ce serait trop long à vous raconter – j'ai trouvé l'adresse d'un Antoine qui pourrait bien être votre fils. La voici.

— Vous êtes détective plus que psychanalyste ! s'était écriée la mère d'Antoine.

— Me voici démasqué, j'ai toujours rêvé d'être détective ! En fait, les deux métiers se ressemblent et je suis persuadé qu'ils ont tout à gagner à se compléter, le détective explorant l'extérieur, l'environnement de la personne, et le psychanalyste décortiquant l'intérieur. »

John Lloyd avait saisi la main de son amie :

« Je n'ai aucun conseil à vous donner, c'est pourquoi je me permets de le faire. Déchirez ce papier, ou alors, si vous décidez d'en faire quelque chose, allez à Paris. Ne vous contentez pas d'une lettre. »

La mère d'Antoine se cala au fond du siège et ferma les yeux lorsque le commandant de bord annonça l'atterrissage imminent. Elle redoutait cette phase du vol. L'avion descendit rapidement, toucha la piste d'une roue, puis de l'autre, avant de stabiliser sa position, arrachant aux passagers néophytes de petits cris d'effroi. L'hôtesse annonça que l'avion venait d'atterrir à l'aéroport Roissy-Charles-de-Gaulle. Elle indiqua l'heure locale et la température extérieure et demanda aux passagers de garder leur ceinture attachée jusqu'à l'extinction du signal lumineux. Elle espérait que ce vol avait été agréable et inciterait chaque voyageur à renouveler l'expérience avec la même compagnie. Ces formalités accomplies, elle lança la musique qui clôturait le voyage et autorisait les passagers à s'ébrouer et à ouvrir les coffres à bagages. Aux premiers accords, la mère d'Antoine reconnut le *Concerto n° 1* de Tchaïkovski. Son voisin avait hâte de quitter l'appareil, elle dut se lever pour le laisser passer. Elle en profita pour sortir son bagage à main du casier, puis se rassit jusqu'à la fin du premier mouvement du concerto. Cette musique était un signe...

28

D'un pas traînant, Adeline Barbaud sortit de l'immeuble pour nettoyer le paillasson du hall. Elle s'accroupit le long du caniveau et s'appliqua à faire disparaître la poussière dans la bouche d'égout à l'aide d'une balayette, pour pas qu'on puisse lui reprocher de souiller le domaine public. Ses gestes amples et vigoureux évoquaient ceux des lavandières battant leur linge en plein air, la douceur du climat en moins. Dans cette position peu avantageuse, la concierge sentait l'air froid s'infiltrer entre ses cuisses et pénétrer dans sa culotte. Elle trouva cette intrusion indécente mais pas désagréable.

Le professeur d'anglais du premier étage apparut sur le seuil et lui fit un discret signe de tête. Elle y répondit par un bonjour indistinct. D'autres locataires passèrent à deux pas d'elle sans la remarquer, comme s'ils avaient l'habitude de voir de grosses femmes accroupies jambes écartées le long d'un trottoir. Il en fallait beaucoup désormais pour éveiller une lueur d'intérêt dans leurs prunelles gavées d'images chocs et de publicités fluorescentes. Adeline Barbaud n'en fut pas affectée. Son souci était ailleurs. Elle n'avait pas entendu rentrer Marine la veille, pas même tard dans la nuit, et s'en inquiétait. Dans son cerveau nourri de passions romanesques entre riche héritier et pauvre orpheline – plus rarement l'inverse –, une disparition d'une nuit ne pouvait signifier que trahison, abandon ou rupture. Or elle ne supporterait pas de rupture dans cette histoire qu'elle avait faite sienne depuis plusieurs jours, un peu parce que Antoine était son locataire préféré, beaucoup parce qu'il ne se passait pas grand-chose d'intéressant dans cet immeuble, hormis les intermittentes coucheries du bellâtre du quatrième, parti en vacances, l'infâme – les romans de chevet d'Adeline Barbaud lui avaient inculqué un vocabulaire flamboyant – sans lui offrir la moindre étrenne. La concierge guettait le pas de la porte, s'attendant à voir surgir un Antoine défait ou vengeur. Janine Morrissot apparut, engoncée dans un manteau de cuir noir trop étroit pour elle qui la faisait ressembler à une andouille de Vire ou de Guéméné. Ses cheveux emprisonnés dans un foulard bariolé s'échappaient en mèches filasse sur les côtés. Elle tenait à la main un sac en plastique Monoprix pour aller faire ses courses au supermarché concurrent :

« Je le fais exprès, expliqua-t-elle à la concierge avec un sourire sardonique. Comme ça ils voient que je peux acheter ailleurs et ils sont obligés de bien me servir pour garder ma clientèle. »

Elle était idiote, les deux grandes surfaces appartenaient au même groupe financier et se moquaient bien de savoir où se fournissait la Janine, l'important étant le bilan consolidé de la holding. Mine de rien, à force de lire les magazines des locataires avant de les remettre dans leurs boîtes à lettres, Adeline Barbaud avait acquis un vernis appréciable d'économiste et pouvait donner son avis sur la conjoncture internationale avec autant de pertinence que bien des experts reconnus.

Elle sursauta. Antoine sortait de l'immeuble, vêtu d'un costume de velours bleu marine que la concierge ne lui connaissait pas. En le regardant marcher vers elle, elle ne put s'empêcher de détailler son allure et en eut le cœur tout retourné :

« C'est pas croyable comme il est joli garçon ! » songeat-elle sans une once de convoitise. Elle éprouvait en le regardant une émotion d'ordre purement esthétique mais l'ignorait.

Il se pencha vers elle.

« Bonjour, madame. »

Elle s'essuya prestement à son tablier et tenta de se relever mais n'y parvint pas. Antoine lui saisit la main pour l'aider à retrouver son équilibre. Adeline Barbaud bredouilla, confuse :

« Excusez-moi, monsieur Antoine. Fait pas bien chaud ce matin.

— Non, le vent est frisquet. »

Elle le scruta par en dessous. Il semblait calme. Peut-être faisait-elle erreur, peut-être Marine était-elle rentrée à une heure où malgré sa vigilance elle s'était endormie.

« Mlle Marine va bien ?

— Je ne sais pas. »

Le ton d'Antoine était uni. Adeline Barbaud eut envie de poser une autre question mais Antoine s'éloignait déjà. Elle le vit entrer dans le magasin de gros où il achetait ses toiles et fournitures. Il en ressortit moins de cinq minutes plus tard les bras chargés de rouleaux de papier épais. Il passa à nouveau devant la concierge sans plus lui prêter attention et pénétra dans l'immeuble. Adeline Barbaud le suivit, secoua une dernière fois le paillasson avant de le replacer dans son cadre rectangulaire et entra dans sa loge. Elle avait bien mérité une petite tasse de café...

Elle mesura la quantité de poudre et versa l'eau, le cœur battant. Elle n'eut pas longtemps à attendre. Les premières notes du *Concerto n° 1 pour piano et orchestre* de Tchaïkovski tombèrent sur ses épaules. Elle y était habituée, mais les notes avaient ce matin une telle force qu'elle ne put s'empêcher de faire le gros dos. Cette musique sentait la menace. La concierge se surprit à faire un signe de croix. L'instant d'après elle se moquait d'elle-même, mais le mal était fait.

L'irruption joyeuse d'Alexandre Féroux dans sa loge lui apporta une diversion bienfaisante. Il lui tendit une enveloppe et une boîte de chocolats :

« Bonne année, madame Barbaud, avec un peu de retard, je suis désolé. J'étais au ski. On a eu un temps... su-perbe, je suis bronzé partout ! Et vous, pas trop fatiguée par les réveillons des locataires ? Ils ont été sages pendant mon absence ? Merci d'avoir gardé mon courrier, vous êtes un amour ! »

Cette pétillante tranche de vie ne suffit pas à apaiser le malaise de la concierge. Comme un chat avant un typhon, elle sentait l'air peser plus lourd. Il allait se passer quelque chose dans ce quiet univers. D'ordinaire, Antoine arrêtait le disque après le premier mouvement. Aujourd'hui il laissait le morceau se dérouler dans sa totalité. Adeline Barbaud s'aperçut qu'elle s'était attachée à cette musique après avoir tant pesté contre la monomanie d'Antoine. Elle entendit soudain claquer la porte d'entrée et regarda sa pendule. 14 heures ! Ce n'était pas une heure pour rentrer. Elle se détourna pour ne pas avoir à répondre à l'éventuel salut de Marine.

Une odeur écœurante emplissait le studio. Marine se précipita à la cuisine. À l'aide d'une longue spatule en bois, Antoine touillait dans une casserole une mixture blanchâtre qui éclatait à la surface en bulles épaisses.

« Ça sent mauvais ! Qu'est-ce que tu fais ?

— Bonjour, Marine. C'est une colle à chaud pour une maquette. Excuse-moi pour l'odeur, je ne savais pas que tu allais rentrer. »

Il ne lui posa aucune question. Marine lui en sut gré, tout en étant décontenancée par son manque de curiosité. Elle accrocha son sac à une chaise puis se servit un verre de lait :

« Tu as déjeuné ?

— Non, répondit Antoine sans se retourner. Je n'ai pas faim.

— C'est pour quoi, ta maquette ?

— Pour un décor de théâtre constitué de quatre modules en trompe-l'œil. Comme c'est assez compliqué à visualiser, je vais faire une maquette en volume avant de tout remettre à plat. »

Comme s'il estimait en avoir assez dit, Antoine se remit au travail avec une intense concentration dont Marine se demanda si elle était réelle ou forcée, reproche implicite à son absence de la nuit. Elle avait prévu de rester près de lui mais y renonça. Il flottait dans l'air une tension presque palpable, incompatible avec l'après-midi paisible dont elle avait besoin. Pour la première fois depuis leur rencontre, Marine se sentait à l'étroit dans ce studio. Elle se demanda ce qu'elle y faisait au lieu d'être chez elle.

Une heure plus tôt, Marc l'avait quittée avec un sourire ému :

« Adieu, Marine, prends soin de toi.

— Comment ça, adieu ? Au revoir. On va se voir cet été chez maman. »

Il l'avait serrée très fort entre ses bras, elle l'avait embrassé chaleureusement en plaisantant :

« Promis, je viendrai vous rendre visite quand vous serez "monsieur et madame" et je garderai même vos petits quand vous aurez envie de sortir en amoureux. »

Tous deux avaient brodé quelques minutes sur ce thème mais ni l'un ni l'autre n'étaient dupes. Un pan de leur histoire, sans doute le meilleur, venait de se fermer.

Antoine continuait à travailler sans un regard pour Marine. Le silence devenait pesant. Elle soupira, remit son manteau :

« Je vais me balader. À ce soir.

— Ne rentre pas trop tôt, fit-il sans même lever les yeux de son établi, j'ai une surprise pour toi.

— Pas trop tôt... tu veux dire pas trop tard ?

— Non, pas trop tôt. J'ai des choses à préparer. »

Marine descendit les six étages à pied. Elle allait prendre un bus pour Montparnasse ou Châtelet, n'importe quel quartier grouillant de monde ferait l'affaire. Elle était soulagée qu'Antoine lui prépare une surprise, preuve qu'il n'était pas fâché, mais son malaise ne se dissipait pas pour autant.

En bas de l'immeuble, une vieille femme était adossée à la paroi de l'abribus, les jambes écartées de vingt bons centimètres. Sous ses pieds se formait peu à peu une flaque misérable. La vieille la fixait sans paraître réaliser qu'il s'agissait de sa propre urine, lâchée sans prévenir parce qu'il est très difficile à une femme, surtout âgée, de trouver en urgence un coin tranquille où se soulager. Marine hésita, ne sachant s'il valait mieux lui proposer de l'aide – et quelle aide ? – ou feindre de n'avoir rien remarqué. Elle opta pour la seconde solution et passa son chemin. Finalement, elle prendrait le métro.

Dans le couloir peu fréquenté, une affiche l'agressa :

« Croyez-vous qu'il soit agréable d'avoir les fesses mouillées ? » hurlait un nourrisson en pleurs pour justifier son exigence d'une marque de couches réputées rester sèches en toutes circonstances. Le bébé était adorable, son minois crispé par la rage donnait envie de le prendre dans les bras pour le consoler. Marine regretta d'avoir ignoré la vieille femme. À l'heure qu'il était, celle-ci devait grimper avec peine dans le bus et voir se détourner d'elle les regards tandis que son odeur fétide envahissait le couloir du véhicule. Comment commander à un corps usé quand on a obéi toute sa vie ? Marine haussa les épaules. D'autres affiches viendraient couvrir celles-ci, d'autres vieilles s'oublieraient dans des lieux publics, des dizaines de gens souffriraient de douleurs plus redoutables qu'une banale incontinence sénile.

Elle descendit à Montparnasse et remonta le long du centre commercial, vers la tour. C'est alors qu'un touriste Nikon aux yeux si bridés qu'ils se réduisaient à deux fentes obliques s'engagea dans le tourniquet d'entrée de la tour et se transforma instantanément en figurine d'un jeu dont Marine avait lu les règles la veille : *Petit bonhomme à faire tourner sur un plateau de roulette. Le numéro indiqué par l'index du personnage donne le nombre de cases franchissables par le pion du joueur.* L'index du Japonais n'indiqua rien d'autre que le cinquante-troisième étage du building que le Nikon s'empressa d'immortaliser, puis le jeu éclata en miettes. Ne restèrent qu'un touriste empêtré dans un tourniquet avec son sac trop lourd sur l'épaule, et dans la tête de Marine la désagréable sensation d'avoir eu une hallucination, côtoyé la faille invisible entre des mondes parallèles dont aucun n'avait de raison de lui paraître plus réel ou irréel que l'autre.

Au cours des deux heures qui suivirent, elle n'eut pas à déplorer d'autres dérapages, sans pour autant arriver à se sentir concernée par ce qui se passait autour d'elle. Elle bénit à cette occasion les bienfaits du conditionnement qui lui permit de respecter les feux, traverser sans risques et même échanger quelques mots tout à fait cohérents avec un postier à qui elle acheta des timbres ainsi qu'un témoin de Jéhovah transi qu'elle consentit à écouter par pure charité avant de lui asséner qu'elle appartenait à une secte d'adorateurs de la courgette violette à la réunion de laquelle elle devait d'ailleurs se rendre de façon urgente. L'air effaré du malheureux prosélyte fut le seul instant où Marine se sentit pleinement exister. Elle raconterait cette anecdote à Antoine pour le faire rire.

29

Les réverbères clignotaient l'un après l'autre, émergeant de leur sommeil diurne. Ils jetèrent leur lumière sur le trottoir et Marine joua avec son ombre qui selon les cas s'étirait pour escalader les façades ou se répandait jusqu'au milieu de la chaussée. Les voitures l'écrasaient avec tant de désinvolture qu'elle se sentit soulagée en arrivant d'exister suffisamment pour pianoter « Au clair de la lune » sur l'interphone.

La porte s'ouvre en grinchonnant, elle a besoin d'huile. Marine prend l'ascenseur. Au sixième, Antoine la guette sur le palier. Il lui fait signe de se taire et pose un bandeau sur ses yeux. Elle se demande comment il a deviné que c'était elle qui sortirait de la cabine. Impressionnée, elle décide de le laisser faire. Il la fait tourner deux fois sur elle-même puis la guide d'une main légère. Marine sent sur son cou ses doigts minces et se souvient de leur course le long de la plage d'Étretat. Elle se demande s'il l'emmène vers la cuisine ou du côté de l'alcôve. Il la fait s'immobiliser d'une pression sur l'épaule droite, prend sa tête entre ses paumes et la positionne d'une façon précise dont elle ne saisit pas l'objectif. Puis il retire son bandeau :

« Tu peux ouvrir les yeux. »

C'est presque désagréable, après les avoir tenus si fort serrés. Marine ne voit d'abord que des taches rouges et noires, puis une image floue dans le miroir de la salle de bains. L'image devient nette. Marine distingue son reflet dans la glace et tourne la tête vers Antoine :

« Ben alors ? Où est ta surprise ? »

Elle reste bouche bée. Dans la glace, un reflet a vivement tourné en direction d'Antoine, tandis que l'autre demeure immobile, dans sa position initiale. Marine tourne la tête à droite, voit son profil gauche, puis à gauche et voit son profil droit, toujours superposé au reflet de face, impassible et troublant.

« C'est très facile à faire, sourit Antoine. Un simple portrait peint à même la glace, avec suffisamment de transparence pour rendre les ombres et les lumières de ton visage avec ta carnation exacte. »

Il éclate de rire :

« Avoue que tu t'y es laissé prendre ! »

Marine ne répond pas tout de suite et recadre son visage exactement dans les lignes du reflet peint. C'est hallucinant. Elle sourit : deux bouches se superposent, l'une grave, l'autre pas.

« Tu es un magicien, un faussaire de génie !

— Penses-tu, c'est une question de métier. J'ai la chance d'avoir une excellente perception des couleurs. Le plus difficile a été de trouver le bleu exact de tes yeux. J'avais fait un premier essai qui te ressemblait, mais ce n'était pas toi. J'ai recommencé, mélangé les couleurs, estompé... et à un moment tu m'es apparue. »

Il enchaîne en la prenant par la main :

« La surprise n'est pas terminée, viens voir le reste. »

Dans la grande pièce il se met à déclamer, soudain lyrique :

« Face à toi, Marine : Marine ! Portrait sur Canson mi-mat, simple ébauche saisie au vol. À gauche, grandeur nature, visage mélancolique et mal réveillé de Marine.

Visage du matin, chagrin de nuit ? Qu'importe ! Note la crispation à la commissure des lèvres, presque imperceptible, et ce début de ride au coin de l'œil : le temps s'en va, le temps s'en va, madame... Ici, série de Marine, sans S, en pied, assise, en plan américain et gros plan. Là, plongée sur Marine, allongée sur une plage brésilienne et sirotant de la *batida*. Puis-je te faire apprécier ce puzzle de Marine : vingt-huit morceaux – un par année de vie – éparpillés sur les murs en attendant que ma mémoire les rassemble. Enfin, clou de l'exposition au fond de la pièce, sous les feux des projecteurs... Attends que j'allume le spot : nu de Marine ! »

Elle ne sait où donner du regard, effarée de se voir ainsi reproduite en dix, vingt, trente exemplaires avec un souci du détail et ce sens de la vie, don génial d'Antoine, qui anime chaque dessin sans laisser au modèle le loisir de maugréer « ça ne me ressemble pas » pour se départir du trouble ambigu né du plaisir de se voir et de la peur de se rencontrer, d'être confronté à des parts de soi ignorées. Chaque dessin, chaque peinture est elle, sans contestation possible. Antoine a un œil parfaitement objectif. Intérieurement elle ne peut s'empêcher de préciser : « Objectif 50 mm, grand angle ou macro. Ce type est une machine à reproduire », mais elle pressent que son art va plus loin.

Elle s'approche du nu et sursaute. Antoine a dessiné la fossette minuscule qu'elle a en haut de la fesse gauche, alors qu'il ne l'a aperçue nue qu'une seule fois, un jour où le croyant absent elle était sortie sans précaution de la salle de bains. Elle ne sait ce qui la trouble le plus, de la prodigieuse mémoire de cet homme, ou du sentiment qu'il l'a minutieusement disséquée, se l'est appropriée.

« Je me demande pourquoi tu t'obstines à dessiner et à peindre alors que tes portraits sont pratiquement des photos. Tu aurais plus vite fait avec un bon appareil.

— Cela n'a rien à voir.

— Pourquoi ? Tu trouves que la photo n'est pas un art ?

— Pas du tout, mais ce qui m'intéresse n'est pas de me procurer un portrait de toi, sinon je t'enverrais effectivement chez le premier photographe venu. C'est comme pour le Brésil. Le seul qui m'importe est celui que j'ai créé, même s'il n'est pas tout à fait le vrai. D'ailleurs, n'est-il pas si réel que tu y as cru ? Tu as cru en MON Brésil où je ne suis jamais allé. La Marine que je peins n'est pas forcément la vraie, mais c'est celle que j'ai au bout des doigts, tu comprends ?

— Oui. Enfin non. C'est tellement ressemblant.

— Peu importe la ressemblance. L'essentiel est que je possède dans cette pièce autant de Marine que je le souhaite et je peux en créer d'autres à volonté. Tu existes au bout de mes doigts et de mes pinceaux, quoi qu'il advienne. Pour te photographier, j'aurais eu besoin de ta présence. Pour te dessiner, j'ai préféré ton absence et tu ne m'as pas échappé pour autant. »

Il éclate d'un rire bref qu'elle ne lui connaissait pas : « Où que tu ailles, tu ne m'échapperas pas. Tu m'appartiens. Tu es là, pour toujours ! »

Il ouvre ses paumes tachées de peinture et les agite devant elle comme des ailes d'oiseau, avec la dureté inattendue de ses longues phalanges battant l'air. Marine sent que quelque chose bascule. Il n'est plus Antoine, mais un inconnu effrayant. Elle hurle, folle de rage :

« Mais tu es cinglé, Antoine, cinglé ! Tu t'imagines que les gens sont des objets qu'on emprisonne sur une toile ? Tu me prends pour une image ? Ce que je suis, ce que je pense, ce que je désire, tu t'en fous ? Tout ce qui t'importe, c'est de me dessiner ? Eh bien reste avec tes dessins, tu verras si mon absence te comble ! »

Antoine baisse les bras, interdit, comme s'il ne comprenait rien à cette explosion. Marine a déjà saisi son sac et boutonné son manteau. La voix douce d'Antoine la retient à la porte :

« Tu pars tout de suite ? »

Elle voit briller ses yeux noirs et sait en un éclair qu'elle ne peut pas s'en aller. Pas ainsi. Il lui faut encore entendre cette voix et croiser ce regard. Elle n'a pas le courage de replonger dans la ville après la journée interminable qu'elle vient de vivre, sans autre ambition que d'atteindre le soir. Hors Antoine, elle va connaître à nouveau des journées toutes pareilles qu'il lui faudra remplir de broutilles et d'incidents dont l'addition fera une vie. Sa vie. Elle fera comme tout le monde : semblant. Mais avant de céder, elle veut, comme la chèvre de monsieur Seguin, passer une dernière nuit en liberté sur la montagne bleue, en respirer les parfums et regarder d'en haut la vallée des humains en ricanant : « Mon Dieu, que c'est petit ! »

Elle pose son sac et murmure :

« Je partirai demain. »

Ils passent une soirée exquise. Antoine se montre plus drôle et plus inventif qu'il ne l'a jamais été. Chaque anecdote dans sa bouche se transforme en conte, les mots en jeux, les mets en devinettes. Il a concocté pour Marine des plats inédits dont elle cherche en vain à identifier les ingrédients.

« Ne cherche pas, je suis allé les cueillir sur une autre planète. Sur MA planète. »

Elle s'apprête à lui demander : « Tu m'emmèneras un jour ? » et se souvient à temps qu'ils vivent leurs dernières heures ensemble. Elle ne cesse de le regarder, de détailler chacune de ses attitudes pour ne jamais les oublier, thésauriser chaque geste, graver en elle la moindre de ses intonations. Antoine semble si détendu que Marine se demande s'il croit vraiment à son départ. Elle-même est tentée d'y renoncer. Une voix la somme comme une urgence de rejoindre le monde réel, une autre lui souffle de rester là où elle se sent si bien, au risque de s'y laisser piéger.

Antoine lui offre deux couchers de soleil, l'un avant minuit, l'autre juste après. C'est la première fois qu'il déroge à sa règle. Après quoi il décrète qu'il est temps de se coucher.

Il fait noir dans le studio. Les yeux grands ouverts, Marine distingue cependant les taches blanches de ses portraits au mur comme une présence oppressante qui lui rappelle qu'elle aura beau s'en aller, jamais elle ne pourra priver Antoine de ces traces d'elle, tandis qu'elle ne gardera aucune trace de lui. Lui non plus ne dort pas. Il l'appelle :

« Marine, viens près de moi. »

Elle le rejoint sans allumer et s'assied au pied du lit. Il lui demande de s'allonger à côté de lui. Elle n'a nulle envie de parler, alors elle glisse silencieusement vers le bas et pose sa tête sur le ventre d'Antoine, là où elle a eu l'intuition dès le premier soir que se trouve son lieu magique. Sur sa joue fraîche, la brûlure de sa peau. Il ne la désire pas. Il ne sait pas ce qu'est le désir. Marine, tout à coup, ne supporte pas l'idée qu'un jour peut-être il le découvrira et que ce ne sera pas avec elle. Elle tourne légèrement la tête. Ses lèvres frôlent le sexe d'Antoine qui n'a aucune réaction. Elle l'effleure du bout de la langue avec d'infinies précautions, consciente du cataclysme qu'elle risque de provoquer, et résolue à le provoquer. Son cœur bat si fort qu'elle se demande si elle va en réchapper. Bizarrement, elle se dit que les archéologues violant les secrets de la Grande Pyramide ont dû ressentir une émotion comparable. Antoine ne dit rien, ne bouge pas, n'esquive pas non plus. Marine oublie vite sa puérile intention de le séduire et poursuit sa lente caresse avec un infini plaisir. Elle aime son goût, son odeur. Elle l'aime. Une formidable plénitude l'envahit, si proche du plaisir accompli qu'elle ne se demande même plus si Antoine pourrait la désirer. À cet instant elle ne veut rien d'autre de lui que ce qu'il la laisse prendre. Elle est surprise lorsque le sexe d'Antoine roule sur le côté et que, le reprenant pour un baiser, elle le sent gonflé contre ses lèvres.

C'est à cet instant qu'Antoine saisit la tête de Marine, l'attire vers lui, frotte son visage contre le sien et l'étreint si fort qu'elle en suffoque. Ils roulent enlacés d'un bord du lit à l'autre, fous de leurs deux peaux qui se reconnaissent enfin. À ce seul contact, Marine éprouve des sensations si intenses qu'elles lui arrachent des larmes. Antoine balbutie son nom, mord ses lèvres, ferme les yeux puis les rouvre, immenses, submergé par un déferlement qu'il n'avait jamais imaginé. Ses mains ne cessent de courir sur le dos de Marine avec fébrilité, comme s'il ne pouvait se rassasier de cette découverte. Elle a envie qu'il vienne, entre en elle et efface enfin le vide de l'absence autour duquel il a dessiné sa vie.

Mais brusquement tout s'arrête. Antoine se raidit, dépose un ultime baiser dans le cou de Marine puis roule à l'autre bout du lit et s'endort sans un mot en lui tournant le dos. Marine a la sensation de tomber du cinquantième étage, entre effroi et fureur.

Presque à l'aube, elle le sent bouger. Trop épuisée pour ouvrir les yeux elle n'esquisse pas un geste, guettant les siens. Sans un mot il se couche sur elle, mille fois plus lourd qu'elle ne l'aurait cru, la saisit aux épaules et la pénètre si brutalement que ses mains glissent sur son cou, crispées comme des serres. Marine suffoque, elle a d'abord le réflexe de lui écarter les doigts, puis elle craint de briser cet élan qu'elle a tant désiré. Alors elle songe aux jours à venir comme on feuillette un agenda et en arrache mentalement chaque page. Elle déchire la dernière quand sa vue se brouille. Dans quelques secondes, elle va sombrer dans le néant. Dans un réflexe ultime elle porte la main à sa gorge qui lui fait terriblement mal et se réveille en sursaut.

À côté d'elle, Antoine dort profondément. Ses boucles brunes balaient le drap, sa poitrine se soulève à un rythme régulier. Marine le regarde dormir. Elle est encore essoufflée par son rêve, si réaliste qu'il lui semble sentir encore sur son cou meurtri des mains qui l'étranglent. Ces mains qu'il agitait la veille en ricanant : « Où que tu ailles tu ne m'échapperas pas. »

Alors elle se lève tout doucement et s'habille avec mille précautions pour ne faire aucun bruit. La moquette épaisse étouffe le son de ses pas. Elle prend son sac, dépose la clé du studio sur la table et se dirige vers la porte sans se retourner. À aucun prix elle ne doit regarder Antoine une dernière fois. Il lui faut couper le fil.

Au cinquième étage, la touche d'appel de l'ascenseur clignote. Marine est surprise qu'à cette heure il y ait déjà quelqu'un de levé dans l'immeuble. Elle n'a pas la patience d'attendre et descend par l'escalier en s'appliquant à respirer calmement. À hauteur du troisième étage, elle croise la cabine qui continue à monter. À travers la grille, elle aperçoit fugitivement la silhouette d'une femme brune inconnue. Arrivée au rez-de-chaussée elle se sent nettement mieux, presque légère :

« C'est donc cela l'amour, se dit-elle, qui s'apaise en trois inspirations et six étages... »

Dehors, la vie a commencé, les kiosques à journaux débordent de nouvelles fraîches, les boulangeries sentent le pain chaud. Marine achète un hebdo et une baguette. Elle réalise qu'elle ne l'avait pas fait depuis sa rencontre avec Antoine. Dans le métro, elle parcourt les titres en amputant la baguette de ses deux croûtons. Madeleine avait vainement combattu l'incapacité de sa fille à rapporter un pain intact à la maison. Marine sourit à ce souvenir...

Chez elle, elle retrouve dans l'évier les bols tout juste rincés après la visite de Marc. Elle les retourne sur l'égouttoir, arrose son pot de basilic qui s'étiole devant la vitre et s'étire avec un sentiment de bien-être qui l'étonne. Elle hésite quelques secondes, puis compose le numéro de Grigoritos et lui laisse un message :

« Grigoritos, je suis revenue à moi, pardon… chez moi. »

Le lapsus la fait sourire. Ce soir, l'année va s'achever. Elle feuillette l'agenda de celle à venir, puis revient à la page de garde sur laquelle elle écrit : « Jouer au monde. »

Désormais, ce sera sa devise.

Composition
NORD COMPO

Achevé d'imprimer en Espagne
par BLACK PRINT CPI (Barcelone)
le 18 décembre 2011.
Dépôt légal décembre 2011.
EAN 9782290036501

ÉDITIONS J'AI LU
87, quai Panhard-et-Levassor, 75013 Paris
Diffusion France et étranger : Flammarion